기독교문서선교회 (Christian Literature Center: 약칭 CLC)는 1941년 영국 콜체스터에서 켄 아담스에 의해 시작되었으며 국제 본부는 미국 필라델피아에 있습니다. 국제 CLC는 59개 나라에서 180개의 본부를 두고, 약 650여 명의 선교사들이 이동도서차량 40대를 이용하여 문서 보급에 힘쓰고 있으며 이메일 주문을 통해 130여 국으로 책을 공급하고 있습니다. 한국 CLC는 청교도적 복음주의 신학과 신앙서적을 출판하는 문서선교기관으로서, 한 영혼이라도 구원되길 소망하면서 주님이 오시는 그날까지 최선을 다할 것입니다.

꾸란 해석

기원, 발달과 현대적 성향

Qur'ānic Interpretation
Origin, Development and Modern Trends
Written by ILJoo Kong

꾸란 해석

기원, 발달과 현대적 성향

2021년 5월 31일 초판 발행

지 은 이 | 공일주

편　　집 | 박경순
디 자 인 | 박성숙, 박성준
펴 낸 곳 | (사)기독교문서선교회
등　　록 | 제16-25호(1980.1.18)
주　　소 | 서울특별시 서초구 방배로 68
전　　화 | 02-586-8761~3(본사) 031-942-8761(영업부)
팩　　스 | 02-523-0131(본사) 031-942-8763(영업부)
이 메 일 | clckor@gmail.com
홈페이지 | www.clcbook.com
일련번호 | 2021-60

ISBN 978-89-341-2298-2 (93230)

이슬람 연구 시리즈 30

꾸란 해석

기원, 발달과 현대적 성향

공일주 지음

CLC

목차

일러두기

이 책에 사용되는 아랍어의 한글/로마자 표기는 아래와 같다.

ر	ذ	د	خ	ح	ج	ث	ت	ب	ء
rㄹ	dhㄷ	dㄷ	khㅋ	ḥㅎ	jㅈ	thㅅ	tㅌ	bㅂ	’ㅇ
ف	غ	ع	ظ	ط	ض	ص	ش	س	ز
fㅍ	ghㄱ	‘ㅇ	ẓㅈ	ṭㄸ	ḍㄷ	ṣㅆ	shㅅ	sㅅ	zㅈ
ي	و	ه	ن	م	ل	ك	ق	정관사는	
y야유이	w와우위	hㅎ	nㄴ	mㅁ	lㄹ	kㅋ	qㄲ	‘알’로 통일	

머리말

이 책은 꾸란 해석의 기원, 단계, 발달을 고찰하고 현대적인 트렌드를 다뤘다. 읽을 때 아랍어 의미론, 수사법, 이슬람 교리, 이슬람법, 꾸란학, 해석학에 대한 소양을 필요로 한다. 혹시 이슬람학과 아랍어학을 학습하지 않았을 경우, 이 책 부록에 나와 있는 용어 해설을 먼저 확인하고 각 장 끝에 요약해 둔 핵심적인 내용을 먼저 읽고 나서 본문을 읽으면 비교적 쉽게 읽을 수 있을 것이다.

그렇다면 꾸란 해석에 대한 책이 지금 왜 우리에게 필요한가?

첫째, 국내 대학교 교수들의 학술 논문에서 꾸란 구절을 인용하는 횟수가 지난 몇 년 동안 부쩍 늘었다.

둘째, 이슬람 연구에서 제기된 문제들이 해소되는 효과가 있을 것이다.

셋째, 꾸란학 연구의 동향은 다종교 사회에서 어떻게 무슬림과 대화할지 알려 준다.

넷째, 꾸란 해석과 주석의 발달 과정을 알면 IS와 같은 극단주의자들의 텍스트 해석 방식이 등장하게 된 계기를 이해할 수 있다.

다섯째, 꾸란학은 물론 하디스학, 이슬람 법학 등 이슬람학의 기초가 되는 학문적 토대를 세우는 데 상당한 기여를 한다.

마크 두리(Mark Durie)는 서구 학자들이 몇몇 사례에서 꾸란에 대한 연구가 학문적인 객관성을 유지하지 못했다고 아쉬워했다. 꾸란 연구에서 학자적인 객관성을 유지하려면 가용할 수 있는 증거에 바탕을 두고 학술적인 연구를 지속해야 한다. 그리고 이 책에서는 언어적 의미와 전문적인 의미로 나눠 어휘들을 설명할 경우 독자는 학술적으로 규정한 전문적인 의미를 취하면 된다.

19세기 서구의 꾸란 연구는 비평적이지만 비논증적인 연구를 시도했으나 지난 40년간 서구 학계가 꾸란 텍스트의 디프레이밍(defram-ing)과 리프레이밍(Reframing)을 연속적으로 시행해 보았다. 디프레이밍은 다른 관점에서 사물을 바라보고 현재의 프레임에 의심을 갖거나 폐기하는 것이고 리프레이밍은 어떤 상황에 대한 대안적 프레임을 제공하는 것이다.

이 책에서 꾸란의 이싸는 예수라고 표기하지 않고 이싸라고 하고 꾸란의 무싸는 모세라고 하지 않고 무싸라고 했다. 그 이유는 꾸란이 자신의 독특한 예언자론 안에서 성경의 일부 인물을 선택적으로 불러내어 예언자의 퍼즐을 다시 맞추었기 때문이다. 그래서 이 책은 제1장부터 제12장까지 아랍어 자료를 통한 무슬림 학자들의 관점에서 꾸란 해석의 기초를 논하였고 제13장부터 제15장까지는 꾸란의 의미와 해석을 성경과 대조해 보았다.

꾸란 해석은 전수에 의한 해석을 우선하기 때문에 꾸란을 꾸란에 의한 해석, 순나에 의한 해석, 싸하바(무함마드를 만났던 무슬림들)의 말들에 의한 해석, 타비인(싸하바를 만났던 무슬림들)의 말들에 의한 해석을 순서대로 조회해 봐야 한다. 이 네 가지 출처를 근거로 하여 꾸란을 해석하는 것을 전수에 의한 해석이라고 부르는데, 꾸란학 학자들은 이것이 가장 좋은 해석 방식이라고 말한다.

다섯 번째 해석의 출처는 꾸란이 내려온 언어를 사용하는 해석이다. 즉, 아랍어 문법과 수사법, 아랍어가 갖는 문체론 그리고 산문과 시와 비유를 숙달해야 한다. 특히, 아랍어 의미와 관련된 용어들, 의미들에서 낱말의 사용, 언어적 의미와 법적 의미, 꾸란 해석자가 반드시 알아야 할 언어적 규칙(인칭대명사, 전치와 후치, 동의어, 생략, 첨가)을 알아야 한다.

여섯 번째 꾸란 해석의 출처는 이성과 이즈티하드(법학자가 해석을 통해 샤리아의 법들에 대한 지식을 얻으려고 노력함)에 의한 해석이다. 여기서도 특정한 조건에 따라야 하는데, 이성에 의한 해석을 하려면 그와 관련된 여러 가지 학문을 알고 있어야 한다. 가령, 어휘 의미와 뜻풀이, 어말 모음 변화에 의한 의미 변화, 낱말의 구조와 유형, 낱말의 파생, 수사법 세 가지(의미의 명료성과 숨어 버림에 따른 '뜻 바꾸기', 말의 구조의 특성을 알려주는 '상황 바꾸기', 말의 장식적인 면을 알려주는 '꾸미기'), 꾸란의 발음 방법을 아는 독법, 꾸란 구절의 해석과 관련된 종교의 원리, 꾸란이 내려온 원인들, 법을 추론하고 논리적으로 도출하는 법 원리, 명확한 의미를 알기 위한 취소론, 법령 구절을 해석하는 것을 돕는 법학, 설명이 필요한 것과 이해하기 힘든 것을 해석하기 위한 하디스 등이다.

이성에 의한 꾸란 해석은 해석자가 앞서 설명한 모든 조건을 충족시켜 줄 때만 가능하다. 이와 같이 꾸란 해석의 절차와 순서 그리고 각각의 조건을 지켰다면 다음과 같은 질문의 답은 금방 찾을 수 있을 것이다.

첫째, 사전(아랍어-아랍어 사전, 아-영 사전, 아-한 사전)을 사용하여 꾸란을 해석할 수 있을까?
둘째, 현대 표준(문학적) 아랍어를 숙달하면 꾸란을 해석해낼 수 있을까?
셋째, 한국어로 번역된 의미 번역서에서 아랍어 꾸란의 의미와 해석을 제대로 알 수 있을까?

위 세 가지 질문에 대한 답은 '아니오'인데 우리 사회는 아직도 한국어로 의미 번역된 꾸란 번역서를 꾸란으로 잘못 생각하는 사람들이 있다. 한국어로 번역된 꾸란은 '꾸란'이 아니라는 것은 무슬림이면 누구나 다 아는 사실이다. 다시 강조하거니와 우리 사회와 국가가 희소 학문의 토대가 되는 기본서 발간에 관심을 가졌더라면 지난 20여년간 개인과 사회적 비용을 크게 줄일 수 있었을 것이다. 그런 점에서 금번에 기독교문서선교회(CLC)가 꾸란학의 중심이 되는 꾸란 해석학 책을 발간하게 된 것은 매우 의미 있는 일이라고 하겠다.

이 책은 순니파(주로 아쉬아리 신학파)의 꾸란 해석을 기술했는데 앞으로 시아파나 수피의 꾸란 해석에 대한 연구서들이 나오기를 기대한다. 끝으로 이 책을 발간해 주신 CLC 대표 박영호 목사님과 자가격리 중에도 원고 교정을 흔쾌히 도와준 전지숙 님에게 감사드린다. 특별히 아랍 국가와 한국에서 지금까지 저의 연구를 격려해 주시고 지원해 주시는 모든 분께 깊은 감사를 드린다.

이 책에 나오는 꾸란의 한국어 의미 번역은 꾸란의 해석 원리와 의미 번역의 방법을 고려한 필자의 번역이다.

2021년 2월 5일

제1장

꾸란의 아랍어

1. 아랍어 글자의 성립과 꾸란의 자음과 모음의 구별점

아랍어 글자의 발달이 꾸란을 기록하는 것과 밀접한 연관이 있다. 만일 아랍어 글자가 아랍인들에게 없었더라면 꾸란이 글로 기록될 수 없었을 것이다. 아랍어 글자의 발달에서는 북부 아라비아와 남부 아라비아로 나눠 설명한다. 무함마드가 살았던 메카와 메디나는 아라비아 북부에 자리하고 있고 예멘은 아라비아 남부에 위치한다. 아랍어 글자는 신적 기원론[1], 남부의 힘야르 이론, 북부의 알히라 이론 등으로 나뉜다.

아랍인들이 새로운 문명과 접촉했던 곳은 예멘, 유프라테스강 중부의 와디,[2] 시리아, 나바뜨[3]였다. 일부 아랍 부족들이 유목민의생활 환경 때문에 주변 지역으로 이동을 하게 되었고 그곳에서 다른 사람들의 삶의 방식을 배우게 되었다. 특히 샴 지역이 오랫동안 비잔틴과

1 공일주, "자즘 문자에서 예술적인 서예로 발전한 아랍어 문자의 규범화", 『동서양 문자의 성립과 규범화』(서울: 한국문화사, 2014), 135.

2 산이나 높은 언덕 사이에서 범람할 때 물이 흘러가는 길이 된다.

3 나바뜨인은 아라비아반도의 서북부에 살았던 아랍 인종이다. 나바뜨어는 기원전 1세기부터 기원후 2세기 동안 히자즈 북부에서 시리아 남부까지 이어진 나바뜨 왕국(수도는 페트라)에서 사용되었다. 나바뜨인들은 아랍 민족이었지만 그들의 구어는 아랍어(Arabic)이었고 문어는 아람어(Aramaic)이었다.

갈등을 빚고 있었는데 아랍인들이 샴 지역에서 많은 문명의 영향을 받았다. 아랍인들은 메카와 메디나가 자리하는 히자즈 지역 북쪽으로 이어진 지역과 아까바만 그리고 다마스쿠스 지역까지 이동했다.

> 겨울과 여름의 여행을 그들에게 안전하게 해 주었고(꾸란 106:2).

아랍인들이 겨울에는 예멘으로 그리고 여름에는 샴(시리아 등) 지역으로 여행을 갔다고 한다. 1년에 두 번의 대상 무역이 있었다. 그런데 메카의 북쪽으로 가면 요르단 남부에 위치한 페트라를 들르게 되는데 그 당시 나바뜨 왕국이 수도를 페트라로 정하고 있었다. 그들은 아람어 글자에서 차용한 나바뜨 글자를 창안했다. 장방형의 아람어 글자가 나바뜨 글자로 이동한 후에는 원형 형태를 보이기 시작했다.

북부 아랍인들은 이 같은 나바뜨 글자의 최종 형태를 차용하여 아랍어 글자를 만들었다. 아랍어 글자의 첫 모습은 나바뜨 글자의 모습과 크게 다르지 않았다.[4] 아랍어 글자는 나바뜨 글자의 영향을 오랫동안 지니고 있었다.

글자의 이동 경로는 두 가지가 있는데 하나는 나바뜨 지역의 하나인 하우란에서 시작하여 유프라테스강 중부 와디에 위치한 알히라와 알안바르를 지나서 두마 알잔달에 도착하고 거기서 메디나 그리고 나서 메카와 알따이프에 이르렀다. 또 다른 하나는 나바뜨 왕국의 어느 지역에서 출발하여 페트라에 이르고 알울라(al-'ulā, 사우디 서

---

4 'Ibrāhīm Jum'ah, Qiṣṣah al-Kitābah al-'Arabiyyah (Cairo: al-Hay'ah al-Miṣriyyah al-'āmmah, 2017), 17.

북부 메디나 지방) 그리고 히자즈 북부에 이르고 메디나와 메카에 도착한다.[5]

이 두 경로 중 어느 것이든 3세기 중반부터 6세기 말까지 순전히 나바뜨 글자였던 모습에서 오늘날 우리가 보는 아랍어 글자로 변화되었다.[6] 그러나 히자즈 아랍인들의 아랍어 글자는 구별점도 없었고 모음 표기도 없었다.

아랍어 글자는 이슬람에 큰 공헌을 했다. 무함마드는 아랍어 글자의 가치를 알고 있었고 바드르 전투에서는 글자 쓰는 법을 알고 있던 청년들을 석방해 주었다고 한다. 아랍어 글자는 알라의 말을 기록하고 무함마드의 하디스를 기록하는 유일한 수단이었다. 나중에는 아랍어 글자가 통치 수단 중의 하나가 되었는데 칼리파(영어로는 칼리프)가 여러 지역에 나가 있는 그의 신하들에게 보내는 서신을 아랍어 글자로 썼다.

꾸란은 와히(알라가 무함마드에게 법적 규정을 알려 주는 것)의 언어인 아랍어로 기록되었다. 아랍어 글자는 메카에서 무함마드의 이주와 함께 메디나로 전해졌다.[7] 칼리파 우스만(656 사망)도 무쓰하프 이맘으로 알려진 '꾸란 정경화 이전의 사본'을 기록하는 데 아랍어 글자의 중요성을 깨닫고 있었다.

이슬람 이전에는 아랍어 글자가 히자즈 지역에만 알려져 있었는데 이슬람의 팽창과 더불어 아랍어 글자가 정복 지역으로 퍼져 갔다. 이란에서는 파흘라위 글자 대신에 아랍어 글자가 사용되었고 몇 개의

5 'Ibrāhīm Jum'ah, Qiṣṣah al-Kitābah al-'Arabiyyah, 18.

6 'Ibrāhīm Jum'ah, Qiṣṣah al-Kitābah al-'Arabiyyah, 18.

7 'Ibrāhīm Jum'ah, Qiṣṣah al-Kitābah al-'Arabiyyah, 33.

자음이 추가되었다. 인도에서는 우르드어와 카쉬미르어 대신에 아랍어 글자가 자리를 잡았다.

그런데 아랍인들이 비아랍인과 섞이고 자녀들을 낳자 새로운 세대는 그들의 말에서 문법적인 오류가 많아졌다. 이런 문제가 아랍어에서 꾸란으로 이어져갔다. 그래서 686년경 이라크의 아미르(지방 통치자) 지야드(Ziyād)의 위임을 받아 아부 알아스와드 알두알리가 시리얀어(Syriac)[8]에 있던 모음의 구별점을 아랍어에 도입했다. 그런데 어떤 자료에는 이슬람력[9] 22년 초에 아랍인들이 쿠파가 건설되기 전 그리고 이라크에 정착하기 전에 구별점을 사용하고 있었다고 한다.[10] 지야드와 아부 알아스와드 알두알리(603-688)가 도입한 구별점이 있기 전의 시기를 가리킨다.

이슬람 초기에는 아랍인들은 무쓰하프(꾸란 정경화 이전의 사본)에 무언가를 추가하는 것을 싫어했다. 꾸란을 보존하는 것은 모음 표시가 바뀌는 것과 같은 일이 생기는 것으로부터 예방하는 것으로 생각했기 때문에 꾸란에다가 다른 표기를 하는 것을 주저했다.

그런데 어느 날 서기가 아부 알아스와드를 보고 있었는데 아부 알아스와드가 두 입술을 벌리면 그 자음 위에 (자음과 다른 색으로) 점을 하나 찍었는데 이것이 파트흐(파트하)/a/였다. 그리고 서기가 아부 알아스와드를 보고 아부 알아스와드가 두 입술을 낮추면 자음 아래에 다른 색으로 하나의 점을 찍었는데 그것이 카스르(카스라)/i/이다. 그리고 두 입술을 모으면 서기는 점을 해당 자음 앞에 점 하나를 찍

8 시리얀어는 이라크 지역에 살던 기독교인들이 사용한 아람어를 가리킨다.

9 이슬람력 원년은 AD 622년이다.

10 'Ibrāhīm Jum'ah, Qiṣṣah al-Kitābah al-'Arabiyyah, 50.

었는데 그것이 담므(담마)/u/이다. 그리고 낱말의 마지막 자음에 비음이 뒤따르면 서기가 두 개의 점을 찍었는데 이것이 탄윈/n/이다.

이런 방식으로 아부 알아스와드가 무쓰하프를 천천히 읽기 시작하자 서기가 해당 모음에 따른 구별점을 찍었다. 이런 작업이 정확한 발음을 돕는 **첫 번째** 아랍어 문자 개혁이라고 할 수 있다.

두 번째 문자 개혁은 이슬람력 1세기 말 압둘 말리크 븐 마르완 칼리파 시절에 생긴 일인데 야흐야 븐 야으마르(129 AH,[11] 746)와 나쓰르 븐 아씸(89 AH, 708)이 이라크에서 무스하프에 나오는 자음의 점이 바뀌는 것(Taṣḥīf)이 잦아질 때 비슷한 자음을 서로 구별하기 위하여 구별점을 넣었다.[12] 이때 자음의 점이 문자 일부가 되므로 동일 패턴으로 자음에 구별점이 들어간 것이다.

세 번째 개혁은 압바시야조 첫 시기에 발생했는데 아부 알아스와드 알두알리가 찍은 어말 모음을 나타내기 위한 모음 점과 나쓰르와 야흐야가 찍은 자음 점이 상충하자 알칼릴 븐 아흐마드 알파라히디(100-170 AH, 718-786)가 어말 모음을 표기한 모음 점을 교체하는 임무를 떠맡았다. 그는 /a/와 /i/를 표기하기 위하여 자음의 위와 아래에 사선을 그었다. 그는 /u/는 자음 위에 와우/w/의 아랍어 자음 모양을 그려 넣었다. 그리고 탄윈은 이런 모음 부호를 두 번 반복했다. 이 밖에도 수쿤, 맛다, 샷다, 함자[13] 등 모두 8가지 부호를 알칼릴이

---

11 AH는 이슬람력을 가리킨다.

12 'Ibrāhīm Jum'ah, Qiṣṣah al-Kitābah al-'Arabiyyah, 52.

13 샷다는 동일한 자음이 겹쳐 있음을 나타내는 부호이고 맛다는 장음화 부호 /'ā/이고 수쿤은 해당 자음에 모음이 뒤따르지 않음을 나타내고 함자는 두 성대가 숨의 통로를 완전히 막았다가 터뜨리는 성대 파열음이고 탄윈은 비한정 표지이다.

제정했다.[14]

우스만 칼리파 시절에는 아랍어 글자가 15개라서 오늘날 아랍인이 사용하는 28개 글자와 수효가 다르다.[15] 그것은 자음의 구별점이 없었던 때라서[16] 몇 개의 음소가 하나의 글자로 표기되고 있었다.[17] 이와 같은 아랍어 글자의 발달은 오늘날 무슬림이 읽고 있는 꾸란이 무함마드가 그의 싸하바(무함마드를 실제로 만났던 무슬림)에게 들려주었던 꾸란과 동일한가를 묻게 한다.

2. 꾸란의 암기와 문자의 기록

우리가 흔히 아랍어라고 할 때 그 아랍어가 무엇을 가리키는가?

아랍어는 이슬람이 태동하던 7세기 이전에 아라비아반도에서 이미 사용되고 있었다. 무함마드(570-632)는 가난한 가정에서 유복자로 태어나 양을 치다가 꾸라이쉬 부족의 전례에 따라 장사하는 일에 종사했다. 장사에 정직했다는 그는 과부 카디자와 혼인하였고 610년 히라 동굴에서 그에게 처음 내려온 명령을 듣고 두려움에 휩싸였다. 이것이 꾸란 96:1이다.

> 창조하신 너의 주님(알라)의 이름으로 읽어라(이끄라)(꾸란 96:1).

---

14 'Ibrāhīm Jum'ah, Qiṣṣah al-Kitābah al-'Arabiyyah, 52-53.

15 공일주, “자즘 문자에서 예술적인 서예로 발전한 아랍어 문자의 규범화”, 148.

16 공일주, “자즘 문자에서 예술적인 서예로 발전한 아랍어 문자의 규범화”, 148.

17 공일주, 『아랍어 음성학』(서울: 송산출판사,1993), 132.

이 같은 신적 명령은 이 세상에서 무슬림이 안내를 받는 가장 좋은 수단으로서 지식과 배움을 추구하라는 것이라고 무슬림들은 해석한다. 이 명령이 있기 전에 무함마드는 여러 차례 꿈을 꾸었는데 지브릴 천사가 나타나 그에게 '읽어라'고 하니 무함마드는 나는 읽지도 못하고 쓰지도 못한다고 고집하니 위 꾸란 구절이 내려왔다는 것이다.

일반적으로 무슬림들은 위 꾸란 구절에 나오는 "이끄라"를 '읽어라, 선포하라, 낭송하라' 등으로 해석하지만 "이끄라"는 "지식(일므, 마으리파)과 배움(타알룸)"으로 해석한다. 그래서 무슬림 학자들은 지식의 근원과 원인을 규명하는 데 관심을 가졌고 명확한 지식에 이르는 수단을 알고자 했다.

오늘날 이집트의 이프타(특정 사건의 법적 질문에 대한 법적 규정을 알려주는 기관)가 발간한 자료에 따르면 지식은 오감, 이성, 와히(와히의 법적 의미는 알라가 중개자를 통하거나 통하지 않거나 무함마드에게 법적 규정을 알려줌)를 통하여 얻는다고 하는데 이슬람에서의 지식은 인간 이성으로 꾸란(와히)을 믿어야 이슬람 지식이 형성된다는 것이다.

무함마드가 살아 있는 동안에는 꾸란이 책으로 만들어지지 않았고 그의 입에서 나온 말을 싸하바(무함마드를 만난 무슬림들)가 암기하기 시작했다.

우리(알라)가 그것을 암기하게 하고 네가 읽게 하겠다(꾸란 75:17).

이 구절에 나오는 자므아후 jam'ahu는 '그것을 모은다'는 뜻이 아니고 암기하다 또는 기록하다의 뜻이다.[18]

> 메신저야! 너의 주님으로부터 너에게 내려 준 모든 것을 전달해라(꾸란 5:67).

여기서 전달이란 말을 무슬림들은 타와투르[19]에 의한 것이라고 해석한다.

> 알디크르[20](꾸란)를 내려 준 자도 우리이고 그것을 보존하는 자도 우리다 (꾸란 15:9).

알라가 꾸란이 잘못되거나 서로 섞이는 것으로부터 지켜 주었다는 것이다. 꾸란이 잘 보존된 이유는 집단으로부터 집단으로 전달되었기 때문이라고 해석한다.

꾸란은 무함마드 생존 기간에는 모두가 기록되지 못하였으나 무함마드가 불러 주면 서기가 기록한 것이 조금 있었다고 한다. 칼리파

---

18 Muḥammad Mukhtār Jum'ah, al-Mawsū'ah al-'Islāmiyyah al-'āmmah, al-Majlis al-'a'lā lil-shu'ūn al-'islāmiyyah, 2015, 479.

19 아하드와 무타와티르는 하디스학에 나오는 전문적인 어휘이다. 무타와티르(능동분사)는 타와투르라는 마쓰다르(동명사)와 어근이 같고 개인들이 아니라, 집단이 집단에게 전달한 것이다. 꾸란은 타와투르에 의하여 기록되었다고 주장하는데 그 말은 집단의 사람들이 그다음 집단의 사람들에게 전달한 것이다. 그러나 무함마드의 하디스의 대부분은 타와투르가 아니고 아하드(개인이 개인에게 전달한 것)를 통하여 전달되었다(Ezzeddin Ibrahim and Denys Johnson-Davies, Forty Hadith Qudsi, Cambridge: The Islamic Texts Society, 1997, 8).

20 사람들에게 그들의 종말과 현세의 유익을 생각나게 해 주는 것이 꾸란에 들어 있다는 말에서 나온 단어이다.

아부 바크르는 야마마 전투에서 독경사들이 순교하자 꾸란 일부를 잃어버릴까 염려되어 무함마드의 부인들이 가지고 있던 것과 싸하바가 갖고 있던 것을 가져오도록 했다.

당시 아랍인들은 암기에 뛰어났고 글을 읽고 쓰는 사람은 소수였다. 꾸란을 암기하는 데 상대적으로 쉬웠던 것은 꾸란이 23년에 걸쳐서 간헐적으로 내려왔다는 것과 귀로 듣기에 좋고 혀로 발음하기에 좋아서 구문에 숙달하기 쉬웠고 어휘가 명확했기 때문이라고 한다. 그리고 한 수라(Chapter) 안에서 의미가 서로 연결된 구절들끼리 서로 한 묶음으로 읽으면 암기하기 쉽다고 한다.

지브릴 천사가 먼저 들은 것을 지브릴이 무함마드에게 여러 차례 들려주었다. 두 번째 들려준 사람은 무함마드인데 서기들은 무함마드에게서 들었다.

따라서 꾸란은 기록이 아니라 '들음'에서 시작하였고 아부 바크르와 우마르 칼리파 때에는 꾸란이 한 권의 책(Muṣḥaf)으로 기록되지 않았다. 그런데 아부 바크르 시절 야마마 전투에서 꾸란 암기자(Ḥuffāẓ) 70명이 전사했다. 70명의 암기자는 독경사(qurrā')로 불렸다.

아부 바크르 재임 기간 중 우마르의 제안으로 꾸란 구절이 기록된 것들이 '꾸란 정경화 이전 사본'(Muṣḥaf)이었다. 이 사본은 우마르 칼리파가 죽은 뒤 그의 딸 하프싸(Ḥafṣah)가 보관하고 있었고 이때까지 암기자들도 꾸란을 암기하고 있었다. 꾸란이 기록된 두 번째 시기는 우스만 칼리파 때인데 문제는 꾸란 암기자들이 독경법이 달라서 자신들의 독경법이 낫다고 우기면서 서로를 받아들이지 않았다. 꾸란 독법이 서로 달라서 서로 분리되는 것을 염려했다. 자이드 븐 사비트(Zayd bn Thābit)를 비롯한 세 사람의 꾸라이쉬 사람들이 올바른 독법이 포함된 무쓰하프 꾸란을 기록했다. 그런데 꾸란 독경사들이 아라비아반도의 여러 지역으로 퍼져서 그 도시마다 독특한 꾸란 읽기가 생겨났다.

3. 꾸라이쉬 부족과 꾸란의 아랍어

아라비아반도의 여러 다른 부족은 아랍어 방언을 사용하고 있었다. 이들 부족 사이에 무역, 혼인, 전쟁과 시 경연을 통해 관계가 강화되었다. 아라비아의 부족들은 서로 다른 아랍어 방언을 사용했다.

이슬람 이전에 아라비아반도에는 여러 다른 부족들이 살았다. 그 중 하나가 꾸라이쉬 부족이었다. 꾸라이쉬 방언이 다른 아랍 방언들보다 파싸하[21]의 특징을 가장 많이 가졌다고 했다. 사끼프(thaqīf) 방언이나 사아드 븐 바크르(sa'd bn Bakr) 방언은 꾸라이쉬의 언어적 수준에 이르지 못했다.

꾸라이쉬의 후손이었던 무함마드는 이슬람의 메시지를 아랍어로 전했다. 무함마드는 "나는 꾸라이쉬 출신이고 사아드 븐 바크르에서 성장했기 때문에 아랍어 낱말의 배열이 좋고 발음이 좋고 의미가 분명한 아랍어를 구사했다"라고 했다.[22] 꾸란의 언어는 무함마드의 구어이고 꾸란의 언어는 꾸라이쉬 방언을 가리킨다. 그러나 일부 언어

---

21 '파싸하'는 낱말의 배열이 좋고 발음이 쉽고 의미가 분명한 것을 가리킨다. 모든 낱말이 형태적 규칙을 따르고 그 의미가 분명하고 이해가 되어야 한다.

22 Abdulhafeth Ali Khrisat and Ziad Ali al-Harthy, Arabic Dialects and Classical Arabic Language, Advances in Social Sciences Research Journal, Vol.2, No.3, 2015, 255.

학자는 꾸라이쉬 방언에 어말 모음 변화의 존재 여부를 따져 본 후 꾸라이쉬 방언이 고전 아랍어와 다르다고 했다.

아라비아의 아랍인 부족들이 서로 다른 방언들을 사용했고 이런 옛 방언들이 고전 아랍어와 연관되어 있었다. 무함마드가 속한 꾸라이쉬 방언이 아라비아의 부족들 사이에서 언어적 위신이 가장 높았다. 현대 아랍어 방언들은 고대 아랍어 방언에 뿌리를 두고 있다는 연구 논문이 있었고 아랍어는 다른 언어에서 일부 어휘를 차용해 왔다고 주장하는 논문도 있다.

꾸란은 본래 꾸라이쉬 방언으로 내려왔다. 그 후 아랍의 여러 부족의 방언으로 전해졌다.[23] 무함마드에게 610년부터 알라가 지브릴을 통하여 꾸란을 내려보낼 때 무함마드 입에서 나온 언어는 꾸라이쉬 아랍어 방언이었고 그가 속한 꾸라이쉬 방언으로 말했을 때 신적 텍스트가 인간의 이해로 전환되었다고 나쓰르 아부 자이드는 말한다. 그는 꾸란은 절대로 변환하지 않고 변화되는 것은 꾸란 구절에 대한 인간의 이해(fahm)라고 한다. 이런 이해를 해석(tafsīr)이라고 한다.

따라서 꾸란 텍스트와 꾸란 해석은 서로 다른 것이다.[24] 무함마드의 텍스트에 대한 이해는 인간의 이성과 상호 작용한 결과라고 할 수 있다. 꾸란을 디크르(dhikr)라고 부르는데 디크르는 꾸란이 아랍어를 사용한 인간적인 언어 형식으로 전환되었다는 말이다.[25]

---

23 Ḥaqā'iq al-'Islām (Cairo: Maṭābi' al-'Ahrām al-Tijāriyyah, 2016), 235.

24 Jamāl al-Bannā, Tafsīr al-Qur'ān al-Karīm Bayna al-Qudāmā wa al-Muḥdathīn (Cairo: Dār al-Shurūq, 2007), 241.

25 Jamāl al-Bannā, Tafsīr al-Qur'ān al-Karīm Bayna al-Qudāmā wa al-Muḥdathīn, 222.

4. 꾸란의 아랍어와 꾸란 해석

아랍인들은 꾸란의 아랍어와 문학의 아랍어를 '푸쓰하'(Fuṣḥā)라고 한다. 그런데 오늘날 아랍 무슬림들이 매일 사용하는 아랍어는 꾸란의 아랍어가 아닌 대중 아랍어('Ammiyyah, 암미야)이고 대중 아랍어는 아랍 국가마다 다르다. 그런데 현대 아랍인들이 문학적 아랍어로 사용하는 언어는 '현대 아랍어, 현대 푸쓰하, 민족어, 공통어, 표준어, 분명한 아랍어'라고 부른다. 현대 푸쓰하는 신문, 책, 보고서, 연설문, 언론, 설교, 공적 회의, 문학 서적에 사용된다.

나하드 알무싸는 푸쓰하 아랍어는 여러 방언이 포함되어 있고 꾸란과 직접 서로 연결되어 있다고 했다. 푸쓰하와 대중 아랍어와의 차이는 어말 모음 변화의 여부라고 했다. 나하드 알무싸는 현대 아랍의 상황에서 아랍어를 다음과 같이 7가지로 구분했다.[26]

(1) 푸쓰하 아랍어: 무쓰하프에 나오는 아랍어이다.

(2) 역사 드라마, 번역된 TV 드라마, 다큐멘터리, 뉴스, 만화 영화 등에 사용된 파씨하[27] 아랍어이다.

(3) 연구와 저술과 정기 간행물과 신문의 아랍어이고 영화와 외국 드라마의 번역 아랍어에 사용된 파씨하 아랍어이다.

(4) 지식인들에게 구어 파씨하 아랍어이다.

---

26 Sa'īd Bakīr, al-Lughah al-'Arabiyyah al-Fuṣḥā al-Mu'āṣirah; Modern Standard Arabic, al-Mafhūm wa al-salbiyyāt, Al-ittijah, Vol 10, No.1, 2018, 52.

27 파씨하는 스피치를 잘하고 설명이 적절하고 낱말들이 모호함에서 벗어나 있는 것을 가리킨다.

(5) 일부 위성 TV에서 뉴스 시간에 특파원의 말에서 나오는 아랍어로서 파씨하와 유사한 아랍어이다.
(6) 교육받은 자의 구어 아랍어이고 중간 아랍어이다.
(7) 구어 암미야 방언이고 암미야 방언이 글로 기록되기도 한다.

이집트의 아랍어의 경우, 알사이드 바다위(1973)는 아랍어를 5가지로 구분했다. 우선 현대 문화의 영향을 받지 않은 '고전 푸쓰하'가 있고 현대 문화의 영향을 받는 '현대 푸쓰하'가 있다. 고전 푸쓰하(꾸란과 고전 텍스트)는 오늘날 아랍 국가에서 종교 프로그램과 일부 역사 드라마와 이슬람 드라마에서만 사용된다. 현대 푸쓰하(미디어와 현대 문어 텍스트)는 오늘날 고전 푸쓰하보다 더 많이 사용되고 있고 오늘날 아랍어 뉴스와 아랍인의 정치 논평과 문학적 이야기에 사용된다.

이집트의 대중 아랍어에는 세 가지가 있다.

첫째, 푸쓰하와 현대 문화의 영향을 받아 정치와 학문에 사용되는 '지식인의 암미야'인데, 고학력의 교육을 받은 사람들이 정치, 사회, 문화, 과학적 주제를 토론하는 데 사용하는 '지식층 구어 아랍어'(Educated Spoken Arabic)이다.

둘째, 푸쓰하의 영향은 없고 단지 현대 문화의 영향만 받아서 교육받은 사람이 일상 생활의 언어로 사용되는 '계몽된 암미야'(Semi-literate Spoken Arabic)[28]이다.

---

28 Mona Kamal Hassan, Classical and Colloquial Arabic, Are they used Appropriately by Non-native Speakers, Contrastive Rhetoric (Cairo: The American University in Cairo Press, 2004), 83.

셋째, 푸쓰하와 현대 문화의 영향이 전혀 없는 '문맹의 암미야'(Illiterate Spoken Arabic)이다. 이집트에는 지식인의 암미야가 가장 널리 퍼져 있는데 학자와 비평가, 문학가 등이 문학과 문화적인 대화에서 사용하고 이들은 푸쓰하도 섞어 쓴다. 계몽된 계층의 암미야는 일상생활에서 물건을 사고팔고 할 때 그리고 가정사에서 사용하는 암미야이다. 문맹인의 암미야는 하층 국민이 사용하는 암미야이다.

나하드 알무싸와 알사이드 바다위는 아랍어를 7가지 또는 5가지로 구분하고 꾸란의 아랍어는 푸쓰하라고 했고 현대 푸쓰하는 꾸란의 아랍어와 이슬람 전통을 이어주는 매체가 되었다고 말한다. 현대 푸쓰하는 고전 아랍어와 다르다. 현대 아랍어에서 사용하는 낱말 중 일부는 고대 아랍 문학과 시에서 발견된 아랍어가 갖는 의미와 다르게 새로운 의미가 있다. 이브라힘 알사마라이는 현대 푸쓰하의 특징을 다음과 같이 설명했다.[29]

(1) 서구의 영향을 받은 아랍어이고 동사문보다 명사문이 많다.
(2) 언론과 관련된 아랍어이다.
(3) 고전 아랍어(아라비야 알투라스)와는 다른 새로운 아랍어이다. 어휘의 발달로 본래 의미를 찾아봐야 한다.
(4) 어말 모음의 변화(이으랍)를 주의하지 않은 결과로 구문의 짜임이 약화한 아랍어이다.

---

29 Sa'īd Bakīr, al-Lughah al-'Arabiyyah al-Fuṣḥā al-Mu'āṣirah; Modern Standard Arabic, al-Mafhūm wa al-salbiyyāt, Al-ittijah, 54.

따라서 꾸란의 아랍어와 현대 아랍어가 어순과 어휘, 구문과 의미에서 차이가 있다는 것을 알 수 있다. 꾸란 해석자들은 꾸란의 아랍어 문법이 현대 아랍어 문법과 차이가 나는 부분을 확인해 봐야 한다. 꾸란에는 오늘날 무슬림이 알고 있는 낱말의 의미와 전혀 다른 의미가 있는 어휘들이 있다.

아랍인들이 꾸란을 잘못 해석하는 이유 중의 하나는 아랍인들이 현대 아랍어와 꾸란의 아랍어가 의미에서 차이가 나는 부분을 잘 모르기 때문이다. 특히 꾸란의 문맥에 따라 달라지는 의미나 문맥에서 밝혀지는 통사적 시제를 간과하는 경우 그리고 수사법을 몰라서 단어를 그냥 외적 의미로 해석할 때 오류가 생긴다.

꾸란은 알라의 말(kalām,[30] speech)이고 알라의 말은 알라가 내려 준 것이다. 꾸란 해석을 잘하려면 통사, 형태, 파생, 의미, 수사법, 독경법, 교리학, 꾸란이 내려온 원인, 취소론, 법학 등을 공부해야 하고 순나에 정통해야 한다.[31] 현대 아랍어에서 사용된 문체가 꾸란의 아랍어에서 사용되지 않기도 한다. 더구나 꾸란 본문에 사용된 수사적, 종교적-신학적 또는 법적 어휘가 어떤 개념으로 무슬림에게 이해되고 있는지도 살펴봐야 한다.

---

30 아랍어 사전에서 칼람은 완전한 의미를 전달해 주는 문장(복문)이다. 문법학자에게 칼람은 발화를 멈추어도 의미가 잘 전달된 라프즈(lafẓ)이다. 여기서 라프즈는 칼람(문장)과 칼리마(낱말)를 포함한다. 따라서 칼람은 화자가 발화를 끝냈을 때 청자에게 의미를 전하는 데 더 이상 다른 것이 필요 없을 정도로 적절한 라프즈이다.

31 Jamāl al-Bannā, Tafsīr al-Qur'ān al-Karīm Bayna al-Qudāmā wa al-Muḥdathīn, 64.

요약

(1) 무함마드는 꾸라이쉬 아랍어 방언을 구사했다.

(2) 꾸란의 아랍어는 고전 아랍어이다.

(3) 610년부터 지난 14세기 동안 이슬람 아랍 사상이 산출한 학문과 예술 등이 기록되어 세대를 거쳐서 내려오는 모든 것을 유산(Turāth)이라고 한다. 아랍인에게 유산의 언어는 푸쓰하 아랍어이다.

(4) 파싸하는 낱말의 배열이 좋고 발음이 용이하고 의미가 분명한 것을 가리킨다. 파씨흐(또는 파씨하)는 스피치를 잘하고 설명이 좋고 어휘의 모호성이 없고 잘못된 구문이 없는 것을 가리킨다. 푸쓰하는 꾸란과 문학의 언어이고 어떤 흠이나, 오점, 결함이 없이 온전한 언어라고 하므로 우리가 생각하는 표준말 개념과 다르다.

제2장

꾸란의 해석

타프시르는 언어적인 의미로 설명, 분명히 함이란 뜻이다.

> 우리(알라)가 너에게 옳은 대답과 더 나은 설명(tafsīr)을 가져다주면 그들이 너에게 논쟁하지 않을 것이다(꾸란 25:33).

이 구절에서 설명이란 말은 아랍어로 타프시르이다. 아랍어 사전에서 타프시르(해석)는 꾸란의 의미를 분명히 하고 수사학의 내용과 꾸란의 불모방성[1]을 밝히고 해당 꾸란 구절이 포함하고 있는 교리와 법과 꾸란이 내려온 원인을 설명하는 것[2]이라고 했다. 전문적 개념으로서 타프시르는 학자들마다 의견이 달라서 그중 유명한 것은 아래와 같다.

아부 하이얀은 타프시르는 꾸란의 어휘들이 어떻게 발음되는지, 그 의미들과 낱말의 규칙과 구문의 규칙, 구문의 상황이 담고 있는 의미들 그리고 그 밖의 것들을 연구하는 학문이라고 한다.

---

1 꾸란은 무함마드 당시 아랍인들에게 알려지지 않는 표현 방식이라서 아랍인(또는 수사학자들도)이 모방할 수 없었다는 것이다. 무함마드의 하디스와 설교에 사용된 표현 방식(우슬룹)은 와히(꾸란)의 표현 방식과 크게 다르다는 것이다.

2 'Aḥmad Mukhtār 'Umar, Mu'jam al-Lughah al-'Arabiyyah al-Mu'āṣirah, Vol.3 (Cairo: 'Alām al-kutub, 2008), 1707.

그는 위 정의를 다시 설명했는데 가령, 어휘들이 어떻게 발음하는가는 독경법(독법)을 가리키고 어휘들이란 말은 어휘들의 의미들을 찾는 것이라고 한다. 그리고 하나의 낱말의 규칙과 구문의 규칙은 형태론, 어미 변화, 수사법(뜻 바꾸기, 상황 따르기, 꾸미기)을 가리키고, 구문의 상황이 담고 있는 의미들이란 원뜻과 마자즈(원뜻이 아닌 다른 의미)에 의한 의미를 가리킨다. 그리고 그 밖의 것이란 말은 나스크(취소론)와 꾸란이 내려온 원인을 가리킨다.[3]

알자르카쉬(1344-1392)는 타프시르는 무함마드에게 내려 준 알라의 책을 이해하고 그 의미들을 밝히고 법령들과 법을 도출해 내는 학문이라고 한다.[4] 그리고 다른 학자는 타프시르는 인간의 능력이 닿는 대로 알라의 의도가 나타내는 것을 꾸란의 맥락에서 고찰하는 학문이라고 한다.[5] 그렇다면 타프시르의 전문적인 개념은 아래와 같이 요약할 수 있다.

(1) 꾸란의 의미를 분명하게 설명한다. 이때 알라의 의도가 나타내는 의미를 찾는다.
(2) 원뜻과 마자즈(원뜻이 아닌 다른 의미)가 나타내는 의미를 찾는다.
(3) 꾸란 텍스트에서 법령들과 법을 도출해 낸다.
(4) 언어학(형태론, 어말 모음의 변화, 음성학)과 수사법 그리고 언어 외적인 학문(나스크, 꾸란이 내려온 원인들, 독경법, 꾸란의 불모방성, 교

---

3 Muḥammad Ḥusayn al-Dhahabī, al-Tafsīr wa al-Mufassirūn, Part.1(Cairo: Dār al-Hadīth, 2012), 18.

4 Mannā‘ al-Qaṭṭān, Mabāḥith fi ‘ulūm al-Qur’ān (Cairo: Maktabah Wahbah, 2015), 317.

5 Muḥammad Ḥusayn al-Dhahabī, al-Tafsīr wa al-mufassirūn, Part.1, 18.

리 등)을 활용한다.

아랍어 타프시르와 가끔 동의어로 사용하는 낱말 '타으윌'(Ta'wīl)이 있다. 아랍어 사전에서 타으윌은 사물이 되돌아감, 결말 또는 어떤 것의 근원, 명확히 설명함, 해석이란 뜻이다.[6] 가말 무쓰따파 압둘하미드, 무함마드 후세인 알다하비 그리고 만나아 알깟딴이 타프시르와 타으윌 간의 차이를 다음과 같이 구별했다.

첫째, 타으윌은 문장을 해석하고 그 의미를 분명하게 설명해 주는 것이다. 이런 개념에서는 타프시르와 타으윌의 의미가 동일하다.

둘째, 타프시르는 낱말의 원뜻이나 마자즈(원뜻이 아닌 다른 의미)를 설명하는 것이고, 타으윌은 낱말의 숨은 의미(바띤)[7]를 설명한다.

셋째, 타프시르는 알라가 의도하는 것이 이렇다고 하는 것이고, 타으윌은 증거에 의해 낱말의 함축된 의미 중 하나를 우선하는 것이다. 이때 의미적으로 우선하는 것을 찾는 것은 이즈티하드[8]에 근거한다.[9] 이즈티하드는 텍스트에서 법을 끌어낼 때 타으윌을 적용한다.

넷째, 타프시르를 리와야(전수)와 연관시키고 타으윌은 디라야(이성적 인식)와 연관시킨다. 타프시르는 꾸란과 순나(무함마드의 말들과

---

6 공일주, 『꾸란과 아랍어 성경의 의미와 해석』(서울: CLC, 2016), 325.

7 시아의 이스마일파는 자히르(드러난 의미)와 바띤(숨은 의미)간의 지식과 종교에서 근본적인 구별을 하였는데 이런 구별이 꾸란 해석에 반영되었다. 이스마일파는 진짜 의미(true meaning)는 타으윌을 통해서만 얻어질 수 있다고 한다.

8 이즈티하드는 법학자가 시행하는 법적 해석이나 법적 판결을 가리키고 또 법적 증거를 통하여 일반적인 법률을 논리적인 규칙에 따라 결론을 끌어내는 것을 가리킨다.

9 Naṣr Abū Zayd, Mafhūm al-Naṣṣ, 236.

행동들과 그가 암묵적으로 시인한 것)에서 외적으로 드러나고 분명한 것을 가리키고 타으윌은 학자들이 도출한 것이다.

다섯째, 타프시르는 낱말들과 어휘들에서 더 많이 사용되는 말이고 타으윌은 문장과 의미들에서 더 많이 사용된다.[10]

여섯째, 타프시르는 무흐캄(Muḥkam, 명확한)에 대한 것이고 타으윌은 무타샤비흐(Mutashābih, 난해한)에 대한 것이다.

이처럼 타프시르와 타으윌은 동일하거나 유사한 의미가 있기도 하지만 대체로 서로 다른 개념을 갖는다는 것을 알 수 있다. 타프시르의 출처는 다음의 다섯 가지인데 번호 순서대로 적용하되, 앞선 항목에서 바라던 것이 발견되지 않는 경우 그다음 단계로 진행한다.[11]

(1) 꾸란: 꾸란에는 한 가지 주제가 여러 구절에 퍼져 있다. 꾸란 해석은 꾸란으로 해석한다.

(2) 예언자의 순나:[12] 예언자 순나는 꾸란을 설명해준다. 순나는 무함마드의 말들이나 행동들 그리고 암묵적으로 시인한 것이다. 순나로 꾸란을 해석한다는 말은 꾸란에 나오는 어휘나 문장의 의도를 알 수 없는 것 중에서 무함마드가 설명해 준 내용이 있

10 Mannā‘ al-Qaṭṭān, Mabāhith fī ‘ulūm al-Qur’ān, 319-320.

11 Maḥmūd Ḥamdī Zaqzūq, Mawsū‘ah al-Qur’aniyyah al-Mutakhaṣṣiṣah, al-Majlis al-’a‘lā lil-shu’ūn al-’islāmiyyah, 2016, 251.

12 법학자, 법 이론가, 하디스학 연구자가 각각 순나에 대한 정의가 다르다. 법 이론가들은 법적 증거를 찾는 데 관심을 가졌고 하디스학 연구자들은 무함마드의 말들이나 행동들이나 그가 암묵적으로 시인한 것을 전달하는 데 관심을 가졌고 법학자들은 법적 규정을 찾는 데 관심을 가졌다.

다는 것이다. 그리고 어떤 조건이나 상황과 상관이 없던 내용이 특정한 조건이나 상황에 묶이는 해석이 되고 무한의 사람에게 적용되지 못하고 제한된 사람에게만 적용해야 하는 경우가 있다. 그리고 무함마드의 말과 행동을 참조하면 꾸란에서 의문이 생기는 어휘와 설명이 필요한 어휘의 의미를 밝혀 준다.

(3) 무함마드를 만난 무슬림들(싸하바)의 말들: 와히(알라가 무함마드에게 내려 준 메시지)가 내려 준 시기에 싸하바의 말들을 찾아가 본다. 싸하바는 무함마드를 만난 무슬림들이고 이들은 죽을 때에도 무슬림이었다.

(4) 타비인의 말들: 싸하바와 함께한 사람들(싸하바의 동무)의 말들이다.

위 네 가지가 전수된 자료이다. 따라서 꾸란을 해석할 때 위 네 가지를 먼저 확인한 뒤 해석자가 바라던 것이 위 네 가지 자료에 없을 때 다음 다섯 번째 항목을 적용한다.

(5) 인간의 이성으로 꾸란을 해석한다. 전수에 의한 해석(꾸란, 순나, 싸하바의 말들, 타비인의 말들)에서 해당 꾸란 구절의 의도를 밝혀 주지 못할 경우 인간의 이성에 의존하여 꾸란을 해석한다. 알라가 준 지식과 이해력으로 꾸란 구절의 의도를 밝히는 것이다. 전수에 의한 해석은 전수의 진실성, 추적의 정확성, 전달의 신뢰성 그리고 해석자가 전수에 의한 해석을 할 수 있는 능력을 갖춰야 하는 반면에 꾸란을 이성에 의하여 해석할 경우에는 이와 관련된 조건들을 준수해야 한다.

그런데 꾸란 해석과 꾸란학을 전공한 이야다 븐 아이윱은 다섯 번째 항목에는 "꾸란이 내려온 언어로 꾸란을 해석한다"는 말을 삽입한다.[13]

꾸란이 내려올 때 아랍인들은 시와 산문에서 수사법과 파싸하가 뛰어났다. 물론 어떤 책이든지 그 책을 기록한 언어로 읽어야 금방 이해가 가능하고 해석이 된다. 꾸란이 아랍인의 언어로 내려왔기 때문에 아랍어를 아는 것이 해석과 그 의미를 이해하는 데 뛰어나다고 할 수 있다. 따라서 아랍어의 형태론과 통사론, 수사법과 파싸하를 알고 문체를 알고 시와 산문과 비유(mathal, 인간의 경험이나 지식을 사용하여 예를 들거나 다른 것에 빗대는 이야기를 제시하거나 교훈과 경고를 주려고 인간의 행동을 동물과 연관시키는 것)까지 확대하여 학습한다.

이야다 븐 아이윱은 여섯 번째 항목에는 꾸란을 이성과 이즈티하드로 해석한다고 했다. 이것은 견해(이성)에 의한 해석이라고 부르고 전수에 의한 해석은 아니다. 그런데 이성에 의한 해석은 전수에 의한 해석에서 해당 구절의 의도를 찾을 수 없을 때만 사용한다. 다시 말하면 꾸란 해석은 전수에 의한 해석이 우선되어야 한다는 것이다.

『해석과 해석자들』이란 책을 쓴 무함마드 후세인 알다하비는 꾸란 해석의 출처를 꾸란, 무함마드, 싸하바의 말들(이즈티하드[14]와 이스틴바뜨[15]) 그리고 타비인의 말들이라고 했다. 알렉산드리아대학교 아랍어과 교수 아흐마드 압둘 갑파르는 꾸란 텍스트를 분명히 하고 텍

---

13 'Iyādah bn 'Ayyub al-Kabaysī, Dirāsāt fī al-Tafsīr wa Manāhijuhu (al-Shariqah, 2015), 189.

14 이즈티하드는 법학자가 시행하는 법적 해석이나 법적 판결 또는 법학자가 법적 규정(아흐캄 샤르이야)을 획득하려고 최고의 노력을 다하는 것이다.

15 이스틴바뜨는 한 가지 전제(qaḍiyah)나 여러 전제로부터 다른 전제로 이동하면서 논리적인 규칙에 따라 결론을 도출하는 것이다.

스트가 의도하는 것을 설명하기 위하여 꾸란의 해석자들이 의존한 출처를 다음과 같이 넷으로 나눴다.

첫째, 해석의 출처는 꾸란 자체이다. 꾸란에는 어느 구절에는 간략하게 또는 장황하게 또는 포괄적으로 또는 상세히 설명하거나 어휘적 제한을 받지 않는 낱말 또는 어휘적인 제한을 받는 낱말들이 있다. 꾸란을 읽고 해석과 이해를 원하면 먼저 아랍어 꾸란을 읽고 여러 번 되풀이 되는 것을 찾고 구절들을 서로 대조해 본다. 그러면 간략하게 설명한 부분은 자세히 설명한 부분에서 도움을 얻을 수 있다.

꾸란을 꾸란으로 해석할 때 해석자에게 필요한 것은 깊이 생각하고 이해하는 것이고 이해력이 요구되고 구절의 의도에 도달하려고 노력하는 것이다. 꾸란을 꾸란으로 해석하는 것이 해석 과정에서 가장 기본이 되는 첫걸음이다.

둘째, 해석의 출처는 무함마드이다. 무함마드를 만났던 무슬림들이 꾸란 구절에서 어떤 문제가 그들에게 숨겨져 있는 것처럼 보이면 무함마드에게 직접 물었다. 무함마드는 알라에게서 그리고 와히를 통해서 분명하게 설명하거나 예화를 들어 답했다. 자주 싸하바가 무함마드를 찾아가 일부 구절을 확실하게 설명해 달라고 했다. 그래서 무슬림들은 무함마드의 하디스를 기록했고 그 하디스에는 무함마드가 꾸란을 해석한 내용이 따로 있었다. 전수에 의한 해석이 시작된 것이다.

셋째, 해석의 출처는 싸하바의 말이고 그들이 각자 노력을 기울이기도 하고 일부는 이스틴바뜨(전제를 이동하면서 논리적인 규칙에 따라 결론을 끌어내기)의 능력을 갖추고 있었다.

싸하바는 꾸란 자체에서 해석을 발견하지 못하고 또 무함마드에게서 해석을 받기가 쉽지 않을 때 그들 스스로 노력을 다했다. 꾸란의 의미가 분명하지 않은 텍스트에서 이즈티하드(법학자가 해석을 통하여 샤리아의 법들에 대한 지식을 얻으려고 노력함)를 하고 또, 주의 깊은 관찰이 필요한 곳에서는 그들의 견해를 사용했다.[16] 그러나 의미가 드러나고 확실하면 이즈티하드나 주의 깊은 연구를 하지 않았다. 이처럼 싸하바가 꾸란 해석을 도왔다.

꾸란이 내려오던 당시에 그들은 아라비아반도에 사는 유대인과 나싸라(이싸를 믿는 자들)의 상황을 잘 알고 있었고, 그들의 생활 패턴 그리고 아랍인의 관습에 대해 잘 알고 있었고 아랍어가 갖는 아스라르('asrār, 이해하기 어렵고 보이지 않는 것)도 잘 알고 있었다. 이런 것은 꾸란 구절의 의도를 이해하는 데 큰 도움을 주었다.

그리고 꾸란이 내려온 원인을 잘 알고 있었는데 어느 꾸란 구절을 해석할 때 그 스토리를 모르거나 그 구절이 내려온 원인을 모르면 그 구절의 해석을 알 수 없었다. 싸하바 중에서 이해력과 통찰력의 범위가 가장 나은 사람이 이븐 압바스였다. 아흐마드 압둘 갑파르는 이해력과 통찰력은 알라가 주는 것이라고 했고 싸하바는 꾸란 텍스트에 대한 이해가 서로 달랐고 사고의 수준이 서로 달랐다고 했다. 사람들은 그들의 사고와 통찰력이 모두 동일하지 않다고 했다.[17]

넷째, 해석의 출처는 유대인과 나싸라의 경전의 백성('ahl al-kitāb)이다. 아흐마드 압둘 갑파르는 꾸란은 타우라(알라가 무싸에게 내려 준

---

16 'Aḥmad 'Abd al-Ghaffār, al-Tafsīr al-Qur'ānī (Alexandria: Dār al-Ma'rifah al-Jāmi'iyyah, 2017), 63.

17 'Aḥmad 'Abd al-Ghaffār, al-Tafsīr al-Qur'ānī, 65.

책)와 일부 문제에서 일치하는데 좀 더 구체적으로 말하면 예언자들의 이야기와 과거의 국가들과 관련된 것이었다. 그리고 꾸란에는 인질(알라가 이싸에게 내려 준 책)에 포함된 주제들을 포함하는데 그 중에는 이싸의 탄생과 기적에 관한 것이 있었다. 물론 꾸란의 이싸는 성경의 예수와 다른 부분이 있는데 아흐마드 압둘 갑파르는 꾸란이 앞선 책들과 다른 서술 방식(manhaj)을 택했기 때문이라고 했다.[18]

그런데 어떤 문제의 자세한 부분은 설명하지 않았고 어떤 이야기의 전체 부분을 다 설명하지 않고 권고와 교훈에 국한했다. 아흐마드 압둘 갑파르는 싸하바가 이슬람 종교와 교리를 보존한 무슬림들이라고 강조하고 꾸란 해석에서 경전의 백성에게 물어보는 것은 제한적이었다고 했다. 타우라와 인질에는 변질과 대체가 많았다고 주장했다.[19] 그러나 무슬림학자들이 언급한 타우라와 인질은 오늘날 기독교인들의 구약과 신약과 다른 것을 지칭한다. 무함마드 당시 아랍어로 된 신구약 성경 전체가 아라비아 땅에 없었기 때문이다.

이 밖에, 이븐 타이미야가 주장한 꾸란 해석의 출처는 다음 네 가지이다.

(1) 꾸란에 의하여 꾸란을 해석한다.

(2) 무함마드의 순나로 꾸란을 해석한다.

(3) 싸하바의 말들에 의하여 꾸란을 해석한다.

---

18 'Aḥmad 'Abd al-Ghaffār, al-Tafsīr al-Qur'ānī, 65.

19 'Aḥmad 'Abd al-Ghaffār, al-Tafsīr al-Qur'ānī, 66.

(4) 타비인의 말들로 꾸란을 해석한다.

그렇다면 결국 꾸란 해석은 무함마드, 싸하바, 타비인의 해석에 근거한다는 것을 알 수 있다. 꾸란 해석은 꾸란이 내려온 원인들 그리고 무함마드의 전기(시라)와 하디스를 참조하므로 무함마드와 떨어져서 꾸란을 해석할 수 없다. 이처럼 꾸란 해석의 출처를 알면 이슬람의 본 모습이 잘 보인다.

요약

(1) 타프시르와 타으윌의 개념이 서로 같은 경우 또는 그렇지 않은 경우가 있다.
(2) 타프시르는 낱말에 명확하게 나타난 의미를 전수된 자료를 통해서 해석해 주는 것이고 타으윌은 이성과 이즈티하드를 통하여 숨은 의미를 도출해 내는 것이다.
(3) 꾸란 해석의 법칙과 근거는 다음과 같다.

첫째, 꾸란으로 돌아가 한 가지 주제에 대한 모든 구절을 찾아 비교해 본다.
둘째, 무함마드의 순나 중에서 하디스 무따하라(무함마드의 말이나 행동으로 확인된 하디스)를 참조하고 하디스 다이프(하디스의 용인 조건을 잃어버린 하디스)를 주의한다.

셋째, 싸하바의 말을 취한다.

넷째, 타비인이 만장일치한 말들을 취한다.

다섯째, 꾸란이 내려온 언어적 사항을 고려한다.

여섯째, 이성에 의한 해석을 취한다.

제3장

꾸란학과 해석의 원리

꾸란은 무함마드에게 내려 준 알라의 책이다. 꾸란학은 아랍어로 "울룸 알꾸르안"('Ulūm al-Qur'ān)이라고 하는데 '울룸'은 '학문들'이란 뜻이고 '알꾸르안'은 꾸란(코란, 쿠란)이라고 한다. 꾸란학은 꾸란에 관여하는 모든 학문을 의미한다. 아부 바크르 븐 아라비(Abū Bakr b. 'Arābī, 1076 – 1148)에 의하면 꾸란학은 세 분야로 나뉜다.

(1) 타우히드(Tawḥīd); 알라가 한 분이심, 그의 이름, 속성

(2) 타드키르(Tadhkīr); 자히르(드러난 의미)와 바뗀(숨은 의미) 의미, 기쁜 소식과 경고

(3) 아흐캄('Aḥkām); 할랄(허용)과 하람(금지), 법령

꾸란을 이해하는 것이 모든 이슬람학에서 가장 중요한 도구가 된다. 꾸란학은 꾸란 텍스트를 여러 측면(역사적, 언어적, 내용적)에서 연구하는 것이고 꾸란학에 속하는 학문은 다음과 같이 여러 종류가 있다. 꾸란이 내려옴, 기록됨, 장과 절의 순서를 정함, 독법, 취소하는 구절과 취소당하는 구절, 꾸란의 불모방성과 수사법, 꾸란의 어휘 의미 등이다.

꾸란학은 꾸란 암송과 꾸란의 역사와 직접적인 연관이 있는 학문이고 꾸란을 해석하기 위해서는 이와 관련된 여러 과목의 지식이 필

수적으로 요구된다. 꾸란학은 꾸란에 포함된 학문이고 꾸란은 이슬람에서 모든 지식의 근거가 되고 해석적 연구의 과목이 되었다. 그런데 꾸란학에서 제일 먼저 관심을 가져야 할 분야는 '꾸란 해석의 원리'이다.

꾸란 해석학은 알라의 의도를 드러내는 의미라는 차원에서 꾸란을 연구하는 학문(꾸란학)과 연관된다. '꾸란의 해석학'에 대한 책이 따로 없고 꾸란학이란 책을 보면 해석과 관련된 분야들이 나오는데 이것을 '해석의 원리'(우쑬 알타프시르)라고 부른다. 꾸란 해석학은 아랍어로 '일므 알타프시르 릴꾸란'('ilm al-Tafsīr lil-Qur'ān)이라고 한다.

이슬람력 3세기에는 대부분의 이슬람 학문이 그 원리('uṣūl)를 세웠는데 꾸란 해석의 원리(우쑬 알타프시르)나 꾸란학(울룸 알꾸란)은 이 시기에 확정된 학문이었다. 여기서 사용된 '우쑬'은 마싸디르(근거들, 출처들)와 까와이드(규칙들, 기초들), 마나히즈(방법들)와 연관된다.[1] 그래서 우쑬 알타프시르에서 우쑬은 꾸란 구절을 해석하는데 해석자가 지켜야 할 원리이고 알타프시르는 이 방법에 따라 해석을 분명하게 하는 것을 가리킨다.

첫째, 꾸란 해석의 원리는 꾸란 구절들이 내려온 문제, 꾸란이 내려온 원인들, 메카 꾸란과 메디나 꾸란의 순서, 명확한 낱말과 난해한 낱말, 취소하는 구절과 취소당하는 구절, 설명된 낱말과 설명이 필요한 낱말, 어휘적 제한을 받지 않는 낱말 또는 어휘적인 제한을 받는 낱말, 하람과 할랄, 명령과 금지, 약속과 위협, 비유 등을 다룬

1 'Iyādah bn 'Ayyub al-Kabaysī, Dirāsāt fī al-Tafsīr wa Manāhijuhu, 25.

다.[2] 꾸란 해석의 원리에 대한 이런 정의는 꾸란학의 정의보다 더 확대된 정의이다.

둘째, 꾸란 해석의 원리는 꾸란의 낱말을 발음하는 방법(독법 또는 독경학)과 그 의미들(언어학), 낱말 하나 또는 구문의 규칙들(형태론과 통사론 그리고 수사법), 구문의 상황이 담고 있는 의미들(원뜻과 원뜻이 아닌 다른 의미) 그리고 그 밖의 학문들(취소론, 꾸란이 내려온 원인들)을 다룬다. 꾸란이 내려온 두 가지 관심사는 인간을 인도해 주는 것과 꾸란이 기적의 책이라는 것이다.

이슬람 초기에는 종교적 명령이 암기되었고 꾸란이 구두로 전승되었다. 교리와 예배와 일상 생활과 관련된 종교적 규례는 초기 무슬림들의 기억에 저장되고 있었다. 무슬림의 개인 생활과 사회 생활에 종교적 명령들이 중요해지면서 학자들이 이런 이슈에 관심을 갖게 되었다.

셋째, 꾸란 해석의 원리는 무함마드에게 내려온 알라의 말씀을 이해하고 그 의미들을 밝히고 그의 법들을 도출해 내고 언어학, 형태론, 통사론, 수사학, 법 이론, 독경법을 활용하고 꾸란이 내려온 원인들, 취소하는 구절과 취소당하는 구절을 다룬다. 이 정의가 앞의 두 개의 정의보다 더 간단하고 잘 요약되어 있다. 결국, 꾸란 해석의 원리는 알라의 책에 대해 올바른 해석을 하게 해 주는 규칙을 가리킨다.[3]

---

2 ʻIyādah bn ʼAyyub al-Kabaysī, Dirāsāt fī al-Tafsīr wa Manāhijuhu, 23.

3 ʻIyādah bn ʼAyyub al-Kabaysī, Dirāsāt fī al-Tafsīr wa Manāhijuhu, 25.

이처럼, 꾸란을 법의 원전으로 사용한 이슬람 법학자들은 이슬람법(샤리아)을 완성하였고 하디스(무함마드의 말과 행동과 그가 암묵적으로 시인하고 동의한 것을 기록한 책) 학자들은 무함마드의 예언적 전승을 모아서 보존했다. 반면에 무타칼림(mutakallim, 변증학자)은 종교적 교리에 대한 변증과 관련된 주제들을 다루었고 꾸란 해석자들은 나중에 '꾸란학'이라고 불리는 내용들을 포함하여, 꾸란 구절의 의미와 해석을 연구했다. 그런데 아랍의 언어학자들은 꾸란을 언어적 연구의 근거로 삼았고 꾸란 독경사는 꾸란 독(경)법을 확정했다.

전술한 바와 같이 꾸란학이란 말과 꾸란 해석의 원리란 말이 서로 교환해서 사용되는데 만일 해석의 원리라는 말로 부르면 구전과 기록된 꾸란의 역사와 발전을 간혹 다루지 않을 수 있다. 그래서 해석의 원리를 꾸란학의 하위 분야로 다루기도 한다. 따라서 해석학('Ilm al-Tafsīr)은 해석자가 꾸란을 해석할 준비를 하는 데 도움을 주지만 해석의 원리('Usul al-Tafsīr)는 해석자가 꾸란을 해석하는데 그에게 단계별 지침을 준다. 이 두 가지를 포함하는 좀 더 포괄적인 것이 꾸란학이다.

무슬림들은 "꾸란을 읽고 타프시르를 알지 못하는 자는 밤에 책을 가져왔는데 등불이 없는 것과 같다"고 비유했다. 그래서 이야다 븐 아이윱 알카바이시는 꾸란의 타프시르가 알라의 의도를 알게 해 주므로 꾸란의 의도를 이해하는 것이 행복의 열쇠라고 했다.

꾸란은 두 가지 목적으로 내려왔다.

첫째, 종교적 교리의 부패를 개혁하는 것이다.

둘째, 알라가 정해준 법들로서 인간의 행동을 형성하는 것이다.

첫 번째를 '일므 우쑬 알딘'(종교의 원리학: 종교의 기초를 형성하는 교리를 다루는 학문)이라고 하고, 두 번째를 샤리아의 법을 다루므로 '일므 우쑬 알피끄흐'(법 이론학, jurisprudence)라고 한다. 법학(일므 알피끄흐)은 법 이론학의 근거가 된다. 이슬람법의 문제는 꾸란만을 의존하지 않고 순나(무함마드의 말과 행동과 그가 암묵적으로 시인하고 동의한 것)에서도 법령을 찾는다.[4]

그런데 세월이 흐르면서 꾸란학의 최우선적 지위는 잃어버리고 그 대신 해석의 원리가 두각을 나타내기 시작했다. 일부 학자는 꾸란 해석에 도움을 주는 학문으로는 하디스, 법의 이론(우쑬 알피끄흐) 등을 포함한다고 하고 다른 학자들은 꾸란학의 범주를 확대하여 와히의 개념, 꾸란의 수집, 꾸란이 내려온 원인들, 무흐캄(명확한)과 무타샤비흐(난해한) 등을 포함하라고 한다.

꾸란학을 표현하는 데 사용되는 단어가 여럿이 있다. 가령 꾸란의 이해(fahm al-qur'ān) 또는 꾸란의 학문('ilm al-qur'ān)이라고 한다. 꾸란학이란 말은 12-13세기에 사용되었고 심지어 11세기 초에도 사용되었다는 주장이 있다.

꾸란학이 역사적으로 늦게 발전한 이유는 무엇일까?

---

4 이슬람학의 중심지에는 법학파가 생겨났는데 이라크 쿠파에서는 견해의 학파라고 불리는 이맘 아부 하니파의 법학파가 시작되었다. 메디나에서는 하디스 학파라고 불리는 이맘 말리크가 있었다. 두 학파가 성향은 달랐지만 그 목적은 이슬람 사회 생활에서 무슬림들이 꾸란과 순나의 법을 따르도록 한 것이다. 이 두 학파 이후에 이 두 가지를 한데 모은 이맘 알샤피이가 있었다. 그는 그의 생애 전반부에는 이맘 말리크에게서 배웠고 그 뒤 아부 하니파의 제자가 되었다. 그는 이 두 가지 법학파를 결합하여 '일므 우쑬 알피끄흐'(법 이론학)를 만들었다. 그리고 알샤피이 이후에 이맘 아흐마드 븐 한발이 등장하여 알샤피이에게서 배웠는데 특히 그에게서 하디스 성향의 영향을 받았다.

그 이유 중의 하나는 무슬림들이 개인의 견해로 꾸란을 해석하는 것을 무함마드가 공동체에 경고했기 때문이라고 한다. 다시 말해서 꾸란을 해석할 자격을 갖는 싸하바가 아주 적었다는 것이다. 또 다른 이유는 이런 싸하바의 꾸란 해석이 꾸란학이라는 제하에 들어오지 못했다. 그래서 꾸란 구절의 의미를 설명할 수 있을 정도로 이와 관련된 지식을 얻고자 노력했고 꾸란이 내려온 원인과 역사를 알고자 했다.

꾸란학이 늦게 발전한 또 다른 이유는 타으윌과 타프시르가 서로 같은 의미로 꾸란 해석에 사용되었기 때문이다. 초기 무슬림들은 꾸란학과 연관된 주제와 관련지어 책을 썼는데 그 예로는 이으랍 알꾸란(꾸란의 어말 모음의 변화 분석), 마아니 알꾸란(꾸란 구절에 사용된 의미적 특질들), 우주흐 와알나자이르(한 단어의 여러 의미와 동일한 의미를 갖는 여러 단어), 가립 알꾸란(꾸란의 어렵고 생소한 어휘), 마자즈 알꾸란(Majāz al-Qur'ān), 취소시키는 구절과 취소당한 구절 등의 이름으로 책이 나왔다.

그러나 이런 접근과 다르게 꾸란학은 피끄흐(법)와 하디스의 방법론의 발달보다 더 늦게 발달했다고 한다. 아부 알파라즈 이븐 알자우지(Abū al-Faraj Ibn al-Jawzī)는 초기 학자들이 꾸란학을 하디스 방법론과 유사하다고 보았기 때문에 꾸란학이 독립적으로 일찍 발전하지 못했다고 했다.

알자르카시(al-Zarkashī, 1344/45-1392)는 하디스와 피끄흐에서는 방법론에 대한 전문적인 용어가 만들어졌으나 꾸란학의 경우에서는 이런 일이 없었다고 했다. 자르까니(Zarqānī, 1367 AH)는 이슬람력 5세기 이전에는 꾸란학에 대한 책이 없었다고 단언했다. 이 분야의 첫 번째 책으로는 알하리스 알무하시비(al-Hārith al-Muhāsibī, 857)의 『이성과 꾸란의 이해』(*al-'Aql wa Fahm al-Qur'ān*)라는 책이라고 했다. 그는 꾸란학을 취소론, 명확한 낱말, 난해한 낱말, 꾸란의 미덕(faḍā'il), 꾸란의 피조성(khaq), 꾸란의 표현 방식('uslūb) 등의 주제들을 통하여 꾸란학을 설명했다.

그런데 꾸란의 하위 분야에 대한 포괄적인 분석을 다룬 책들이 나왔다. 라깁 알이스파하니(503 AH)가 『해석의 서론』이란 책을 썼다. 이븐 알자우지(Ibn al-Jawzī, 597 AH 사망)는 『꾸란학의 기이함』이란 책을 썼고 이븐 타이미야(1327)는 『해석 원칙의 서문』이란 책을 썼다. 그리고 알자르카시(al-Zarkashī)의 『부르한』(*Burhān*)과 알수유띠(al-Suyūṭī)의 『알이트깐』(*al-'Itqān*)이란 두 책은 꾸란에 대한 이슬람학 연구의 절정을 이루었다고 할 수 있다.

오늘날에는 알수유띠의 『알이트깐』이 꾸란학의 핸드북으로서 사용되고 무슬림들의 주된 참고 자료가 되고 있다. 꾸란학의 주제가 많아서 한 카테고리로 모으기 어려우므로 자르카시는 다음과 같이 꾸란학을 분류했다.

(1) 꾸란의 텍스트 구분(장의 분류와 장의 시작과 끝)
(2) 꾸란 텍스트의 역사(꾸란의 수집과 내려온 원인들, 메카와 메디나 장 등)
(3) 꾸란의 언어(불모방성, 명확한, 난해한 낱말, 7개 글자, 수사법 등)
(4) 꾸란의 내러티브(비유 등)
(5) 꾸란의 해석(타프시르, 타으윌 등)
(6) 꾸란의 학습(꾸란 정음학[tajwīd], 꾸란 독경법 등)

꾸란 해석의 원리와 해석의 방법(Manāhij al-tafsīr) 사이에 무슨 차이가 있는가?

꾸란학은 꾸란을 위해 기여하는 것들을 다루고 그 의미를 찾는 데 관심을 두지만, 해석의 원리는 알라의 책에 대한 올바른 해석을 이끌어주는 규칙을 연구하는 학문이다. 그런데 해석의 방법은 전수적인 방법이든 이성적인 방법이든 암시적인 방법이든 알라의 의도를 찾기 위하여 해석자가 행동하는 방식이다.[5]

나쓰르 아부 자이드는 텍스트에서 더 깊은 차원의 의미를 알려면 해석자의 사고 활동이나 이성의 작동이 필요하다[6]고 했다. 이즈티하드는 이성을 사용한다는 말이다. 법학자, 변증학자, 해석학자는 무함마드의 하디스에서 온 지식을 따랐기 때문에 꾸란의 텍스트가 문법에 종속되기를 원하지 않았다. 그렇다고 문법을 아예 포기한 것은 아니었다. 그들이 전수에 의한 해석을 우선하였지만, 일부는 전수에 의한 해석과 수피의 해석 방법[7]이 평형을 이루는 길을 찾고자 했다.

---

5 'Iyādah bn 'Ayyub al-Kabaysī, Dirāsāt fī al-Tafsīr wa Manāhijuhu, 42.

6 Naṣr Abu Zayd, Mafhūm al-Naṣṣ, 237.

7 투스타리(896)의 꾸란 해석법은 두 가지 해석법을 적용했는데 하나는 자히르, 다른 하나는 바뗀이고 바뗀은 꾸란 구절의 숨은 의미를 강조한다.

요약

(1) 꾸란학(울룸 알꾸란)과 꾸란 해석의 원리(우쑬 알타프시르)가 동의어라고 말하는 학자들이 있다.

(2) 꾸란학과 꾸란 해석의 원리가 차이가 있다고 하는 학자들은 해석의 원리가 해석자의 실수를 줄이려고 규칙을 세우는 데 관심을 두지만, 꾸란학은 꾸란과 연관된 다양한 학문을 다룬다.

(3) 해석학('Ilm al-Tafsīr)은 해석자가 꾸란을 해석하는 준비를 도와준다. 해석의 원리('Usūl al-Tafsīr)는 꾸란을 해석하는 데 단계별 지침을 제공한다.

(4) 꾸란 학자들은 꾸란학이란 이름 속에 포함될 과목에서 서로 달랐다. 일부는 꾸란을 해석하는 데 돕는 과목만 포함하고 다른 학자들은 그 범주 안에 들어 있는 여러 학문을 포함했다.

(5) 이슬람력 7세기에는 꾸란학의 전체를 보여 주는 책들이 등장했다.

제4장

꾸란 해석자의 요건

꾸란 학자들은 꾸란 해석자의 조건과 행동 지침을 정해 두었는데, 해석자의 조건은 다음과 같다.

(1) 건전한 신앙을 갖는다: 해석자의 교리가 영향을 끼치는데 텍스트를 왜곡하거나 정보를 전달할 때 속이기도 한다.

(2) 분파의 색깔을 버린다: 특정 분파에 속한 자는 자신의 분파를 돕거나 사람들을 부드러운 말로 현혹한다. 꾸란학이란 책을 쓴 만나아 알깟딴은 까다리야, 무으타질라, 라피다를 극단적인 분파라고 규정한다.[1]

(3) 꾸란을 꾸란으로 먼저 해석을 시작한다: 꾸란의 어느 구절이 요약되어 있을 경우 다른 구절에서는 확대하여 설명한다.

(4) 해석을 순나에서 찾는다: 순나는 꾸란을 더 자세하게 설명한다.

(5) 순나에서 해석을 찾지 못하면 싸하바의 말을 취한다: 싸하바는 꾸란이 내려올 때 그 상황과 맥락을 직접 눈으로 본 사람들이다. 완벽한 이해, 올바른 지식을 갖고 선행을 했던 사람들이다.

(6) 꾸란, 순나, 싸하바의 말에서 해석을 찾지 못하면 타비인(싸하바의 동무였던 사람)의 말을 취한다: 이런 부류에 속한 자는 무자히드 븐

---

1 Mannā‘ al-Qaṭṭān, Mabāhith fī ‘ulūm al-Qur’ān, 321.

자브르, 알하산 알바쓰리, 알라비으 븐 아나스, 까타다 등이다. 그들의 말 중의 일부는 텍스트에서 도출하거나 추론한 경우도 있지만 타비인 중에는 싸하바에게서 직접 들은 자들이 있다.

(7) 아랍어에 딸린 지식을 갖는다: 꾸란이 아랍어로 내려왔다 하므로 해석자는 자신의 이해력으로 아랍어 낱말의 의미를 알고 설명할 수 있어야 한다. 아랍어는 어말 모음이 달라지면 의미가 달라진다. 수사법은 꾸란의 불모방성을 깨닫게 하므로 꾸란 해석자는 반드시 수사법(뜻 바꾸기, 상황 따르기, 꾸미기)을 잘 알아야 한다.

(8) 꾸란과 연관된 학문의 기초를 안다: 꾸란을 어떻게 발음할 것인가를 알려주는 꾸란 독경법, 타우히드학(일신론), 그리고 해석의 원리(우쑬 알타프시르)를 알고 꾸란이 내려온 원인, 취소시키는 구절과 취소당하는 구절을 안다.

(9) 정확한 이해를 한다: 꾸란 해석자는 어느 의미가 다른 의미보다 우선한다는 것을 알아야 하고 샤리아(이슬람 율법)의 텍스트와 부합되는 의미를 도출해낼 수 있어야 한다.

꾸란학 책에서는 이런 해석자의 조건을 갖춘 자는 아래와 같은 행동 규범을 지키는 것이 중요하다고 했다.

(1) 선한 의향과 올바른 의도: 이슬람에서는 의향이 있어야 행동으로 나타난다고 믿고 샤리아 학문에서는 의향을 갖는 자가 선한 목표를 가져야 한다고 말한다.

(2) 선한 도덕성: 꾸란 해석자는 좋은 매너를 가져야 한다. 윤리와 미덕에서 남의 본보기가 되어야 한다.

(3) 타의 모범이 되는 행실: 선한 인생살이는 종교 문제를 결정하는 데 좋은 본보기가 된다. 만나아 알깟딴은 무슬림 중에는 아는 것은 많은데 배운 것을 적용하지 않고 잘못된 행실을 갖는 자가 있다고 강조한다.

(4) 성실한 탐구와 전달의 정확성: 해석자가 하는 일은 문법적 오류나 잘못 발음하는 일이 없어야 하고 그가 전달받은 것을 있는 그대로 말하고 기록해야 한다.

(5) 겸손과 유연: 지식을 자랑하는 것이 그런 학자와 그 지식으로 유익을 얻는 자 사이에 장애가 된다.

(6) 자존감: 학자의 권리는 허튼 말에 관심을 두지 않는다.

(7) 진리를 공개적으로 말한다: 가장 나은 지하드(알라의 말씀을 고양하기 위하여 이슬람의 포교를 거부한 카피르[적, 사탄, 혼]와의 싸움)는 권위를 갖는 진리의 말이다.

(8) 좋은 매너: 외모에서 위세와 무게감을 풍기는 태도를 보인다.

(9) 절제와 숙고: 말을 장황하게 하지 말고 절제한다.

(10) 자신보다 더 적합한 자를 소개한다: 죽은 자라고 할지라도 그들의 권리를 경멸하지 않고 그들의 책을 읽도록 안내해 준다.

(11) 더 잘 준비하고 더 나은 해석을 한다: 꾸란이 내려온 원인을 언급하는 것으로 시작하고 낱말의 의미를 찾고 구문을 설명하고 의미를 결정해 주는 어말 모음 변화와 수사법을 확인한다. 그리고 동시대의 사람들의 삶과 연결 지어 의미와 법을 도출해 낸다. 문맥과 나즘(구문과 문맥의 적합한 관계와 낱말들의 상호 연결성 그리고 문법적인 문장의 짜임)에 따라, 구절과 장들 사이의 연

관성을 살피고 구절들을 처음부터 끝까지 연결 지어 읽는다.[2]

위 내용과 차이 나는 책이 있는데, 이집트 종교성이 간행한 꾸란 전문 사전은 꾸란 해석을 위한 해석자의 자격 요건을 다음과 같이 설명한다.[3]

(1) 이슬람을 믿는 자이고 카피르(알라를 믿지 않는 자)는 안 된다.
(2) 살라프 쌀리흐(존경받는 살라프, 권위 있는 선조)를 따르는 자이고 비드아(전례가 아닌 것을 새로 들여옴)는 알라의 의도를 혼동하게 하므로 안 된다.
(3) 진실된 의도: 꾸란 해석에서 알라의 얼굴을 추구하는 자
(4) 해석자가 가장 먼저 의존하는 것이 전수된 자료이어야 하고 처음부터 전수를 버리고 이성에 의한 해석을 먼저 하는 것은 안 된다.
(5) 꾸란의 해석에 필요한 다음 15가지 학문을 잘 아는 자이다. 알 수유띠는 그의 책 『알이트깐』에서 해석자에게 필요한 학문은 15가지라고 한다.

① 언어학: 낱말의 어휘를 설명하고 조어된 대로 그 의미를 안다.
② 통사론: 어말 모음 변화가 달라짐에 따라 의미가 변하고 달라진다.

---

2 Mannā‘ al-Qaṭṭān, Mabāhith fī ‘ulūm al-Qur’ān, 324.

3 Maḥmūd Ḥamdī Zaqzūq, Mawsū‘ah al-Qur’aniyyah al-Mutakhaṣṣiṣah, 2016, 252-253.

③ 형태론: 낱말의 구조와 유형을 안다.

④ 파생: 명사의 파생이 두 개의 서로 다른 마쓰다르(동명사)에서 파생될 때 그 둘 사이의 차이를 안다.

⑤ 세 가지 수사학: 뜻 바꾸기, 상황 따르기, 꾸미기 세 종류의 학문을 안다. 상황 따르기는 말의 구문이 어떤 의미를 주느냐에 대한 수사법이고 뜻 바꾸기는 말의 의미가 드러난 것과 숨어 버린 것에 따라 의미가 달라지는 것을 살피고, 꾸미기는 말을 더 좋게 꾸미는 것이다.

⑥ 꾸란 독(경)법: 꾸란을 어떻게 발음하는지 알고 독경법이 다름에 따라 의미가 달라지는 경우를 안다.

⑦ 종교 원리학(일므 우쑬 알딘): 종교의 바탕을 형성하는 교리를 아는 것이고 알라에게 의무적인 것과 알라에게 불가능한 것 그리고 알라에게 가능한 것을 알고 예언자들에게 의무적인 것과 그들에게 해서는 안 되는 것과 그들에게 가능한 것을 안다.

⑧ 법 이론(우쑬 알피끄흐): 법을 추론하고 법적 규칙을 도출하는 원리를 안다.

⑨ 꾸란이 내려온 원인과 스토리: 일부 꾸란 구절은 내려온 배경과 스토리를 모르면 그 구절을 이해할 수 없다.

⑩ 취소하는 구절과 취소당하는 구절: 먼저 내려온 꾸란 구절과 나중에 내려온 꾸란 구절 중에서 어느 것이 법적 효력이 있는지를 안다.

⑪ 법(피끄흐): 법령 구절을 해석할 수 있다.

⑫ 무즈말과 무브함을 설명하기 위한 하디스: 설명이 필요한 것(무즈말)과 이해하기 힘든 것(무브함)을 설명하기 위함이다.

⑬ 일므 알마우히바(알라의 지식을 아는 대로 실천한 자에게 알라가 전해 준 것): 알라가 준 지식을 효과적으로 사용하고 실천하는 자에게 알라가 하사해 주는 것이다.[4]

꾸란 해석은 알라의 말에서 알라의 의도를 밝히는 것이므로 위와 같은 15가지 조건을 충족하지 않고서 아무나 꾸란의 해석을 시작하면 안 된다고 한다. 꾸란학 책에서 해석자의 자격 요건으로 무슬림을 지목하지 않았으나 이집트 종교성이 발행한 전문 서적에서는 이슬람을 믿는 자일뿐 아니라 살라프 쌀리흐를 따르는 자로 제한한다.

요약

(1) 꾸란 해석을 위한 해석자의 자격 요건과 행동 규범을 따른다.
(2) 해석자는 꾸란 해석에 필요한 15가지 학문을 섭렵해야 한다.
(3) 꾸란 해석자는 언어학, 문법, 수사학, 독경법, 교리학(종교 원리학), 법학, 법 이론, 취소론, 하디스, 꾸란이 내려온 원인들을 학습해야 한다.
(4) 아쉬아리파에서는 까다리야, 무으타질라, 라피다를 극단적인 분파로 규정한다.

4 Maḥmūd Ḥamdī Zaqzūq, Mawsū'ah al-Qur'āniyyah al-Mutakhaṣṣiṣah, 252-253.

제5장

꾸란의 구조

1. 메카 수라와 메디나 수라 구분

천사 지브릴이 메카에서 무함마드에게 내려 준 꾸란은 메카 꾸란이라고 불리고 메디나에서 무함마드에게 내려 준 꾸란은 메디나 꾸란이라 불렸다.[1] 알수유띠는 그의 책 『알이트깐』(*al-'itqān*)에서 메카 수라와 메디나 수라를 정하는 데 여러 말이 있었다고 했다.

이집트 종교성이 발행한 꾸란 전문 사전에서 아부 알하산 알히싸르는 메카 수라는 82개이고 메디나 수라는 20개 그리고 서로 의견이 다른 수라는 12개라고 했다.[2] 압둘라 유수프 알리와 파루끄 샤리프는 무함마드가 메카에 머무르는 동안 88개 수라를 받았다 하고 26개 수라는 메디나로 이주한 후 받은 수라라고 했다. 아래 메카 수라와 메디나 수라의 구분은 오늘날 아랍 무슬림들 대부분이 읽고 있는 카이로판(1924) 꾸란의 구분에 따른 것이다.[3]

---

1 Ahmad H. Sakr, Themes of the Qur'an, 305-308.

2 Maḥmūd Ḥamdī Zaqzūq, Mawsū'ah al-Qur'aniyyah al-Mutakhaṣṣiṣah, 592.

3 아래 표는 출판사의 허락으로 『꾸란의 이해』(공일주 2010: 187-197)에서 인용하고 일부를 수정 보완한 것이다.

1) 메카 수라

번호	한국어 번역	장의 명칭	꾸란의 장	내려온 순서
1	개경장	fātiḥah	1	5
2	가축	Al-'an'ām	6	55
3	아아라프[4]	Al-'a'rāf	7	39
4	유누스	yūnus	10	51
5	후드	Hūd	11	52
6	유수프	yūsuf	12	53
7	이브라힘	'ibrāhīm	14	72
8	알 히즈르	Al-ḥijr	15	54
9	꿀벌	Al-nahl	16	70
10	밤 여행	Al-'Isrā'	17	50
11	동굴	Al-kahf	18	69
12	마르얌	maryam	19	44
13	따하	Ṭaha	20	45
14	예언자들	Al-'anbiyā'	21	73
15	믿는 자들	Al-mu'minūn	23	74
16	구별	Al-furqān	25	42
17	시인들	Al-shu'arā'	26	47
18	개미	Al-naml	27	48
19	이야기	Al-qaṣaṣ	28	49
20	거미	Al-'ankabūt	29	85
21	비잔틴인들(로마인들)	Al-rūm	30	84
22	루끄만	luqman	31	57
23	엎드려 절하기	Al-sajdah	32	75
24	사바	saba'	34	58
25	창시자	fāṭir	35	43
26	야신	yāsin	36	41

4 잔나와 지옥 사이에 있는 담의 격벽이다. 잔나와 지옥 사이의 다리는 씨라뜨라고 하는데 이 다리를 건너는 자는 잔나(극락)로 가고 이 다리를 건너다가 떨어지는 자는 지옥으로 간다.

27	줄지어 서 있는 자	Al-Sāffāt	37	56
28	싸드	Ṣād	38	38
29	무리	Al-zumar	39	59
30	용서하는 자	Al-ghāfir	40	60
31	구별되었다	fuṣṣilat	41	61
32	협의	Al-shūrā	42	62
33	금 장식	Al-zukhruff	43	63
34	연기	Al-dukhān	44	63
35	무릎 꿇기	Al-jāthiyah	45	64
36	모래 언덕	Al-'aḥqāf	46	66
37	까프	qāf	50	34
38	흩날리는 바람	Al-dhāriyāt	51	67
39	뚜르산	Al-Ṭūr	52	76
40	별	Al-najm	53	23
41	달	Al-qamar	54	37
42	피할 길 없는 사건	Al-wāqi'ah	56	46
43	통치권	Al-mulk	67	77
44	펜	Al-qalam	68	2
45	현실	Al-Hāqqah	69	78
46	올라감	Al-ma'ārij	70	79
47	누흐	nūḥ	71	71
48	진	Al-jinn	72	40
49	옷으로 덮은 자	Al-muzammil	73	3
50	머리 위로 담요를 걸친 자	Al-muddaththir	74	4
51	부활	Al-qiyāmah	75	31
52	보냄을 받은	Al-mursalāt	77	33
53	소식	Al-naba'	78	80
54	(혼을) 빼앗아가는 자	Al-nāzi'āt	79	81
55	찡그렸다	'Abasa	80	24
56	어둠에서 가리움	Al-takwīr	81	7
57	쪼개짐	Al-'Infiṭār	82	82
58	저울 눈금을 속이는 자	Al-muṭaffifīn	83	86
59	산산이 갈라짐	Al-'Inshiqāq	84	83
60	별자리	Al-Burūj	85	27

61	빛나는 별(밤에 오는 것)	Al-Tāriq	86	36
62	가장 지고하신 분	Al-ʼA ʻlā	87	8
63	멸망시키는 사건	Al-ghāshiyah	88	68
64	새벽	Al-fajr	89	10
65	(메카) 읍	Al-balad	90	35
66	태양	Al-shams	91	26
67	밤	Al-layl	92	9
68	오전	Al-ḍuḥā	93	11
69	넓힘	Al-sharḥ	94	12
70	무화과	Al-tīn	95	28
71	응혈	Al-ʻalaq	96	1
72	천명	Al-qadr	97	25
73	질주하는 말	Al-ʻādiyāt	100	14
74	강타	Al-qāriʻah	101	30
75	더 많은 재산을 경합	Al-takāthur	102	16
76	시간	Al-ʻaṣr	103	13
77	중상하는 자	Al-Humazah	104	32
78	코끼리	Al-fīl	105	19
79	꾸라이쉬	quraysh	106	29
80	필요한 것	Al-māʻūn	107	17
81	풍부	Al-kawthar	108	15
82	믿지 않는 자	Al-kāfirūn	109	18
83	섬유	Al-masad	111	6
84	신앙의 순수(종교적 충실)	Al-ʼIkhlāṣ	112	22
85	동틀 녘	Al-falaq	113	20
86	인류	Al-nās	114	21

2) 메디나 수라

번호	한국어 번역	장의 명칭	꾸란의 장	내려온 순서
1	암소	Al-baqarah	2	87
2	이므란의 가문	ʼāl ʻImrān	3	89
3	여성들	Al-nisāʼ	4	92

4	식탁	Al-mā'idah	5	112
5	전리품	Al-'anfāl	8	88
6	회개	Al-tawbah	9	113
7	천둥	Al-ra'd	13	96
8	순례	Al-ḥajj	22	103
9	빛	Al-nūr	24	102
10	연합	Al-'ahzāb	33	90
11	무함마드	muḥammad	47	95
12	승리[5]	Al-fatḥ	48	111
13	방	Al-ḥujurāt	49	106
14	자비로운 자[6]	Al-raḥmān	55	97
15	철	Al-ḥadīd	57	94
16	논쟁하는 여성	Al-mujādilah	58	105
17	집합	Al-ḥashr	59	101
18	검증하는	Al-mumtaḥinah	60	91
19	전투의 대열	Al-Ṣaff	61	109
20	금요일	Al-jumu'ah	62	110
21	위선자들	Al-munāfiqūn	63	104
22	상호 손실	Al-taghābun	64	108
23	이혼	Al-Ṭalāq	65	99
24	금지	Al-taḥrīm	66	107
25	인간	Al-'Insān	76	98
26	명증	Al-bayyinah	98	100
27	지진	Al-zalzalah	99	93
28	도우심	Al-Naṣr	110	114

5 전쟁을 통하여 나라를 정복하는 것을 가리킨다.

6 알라를 가리키는 단어이다.

2. 꾸란이 내려온 순서에 따라 꾸란 읽기

무함마드 아비드 알자비리(2009)는 무함마드에게 내려온 꾸란 순서(Tartīb al-nuzūl)에 따라 꾸란을 읽어야 한다고 강조하면서 메카 꾸란을 이해하는 데 도움이 되는 메디나 꾸란이 메카 꾸란 뒤에 내려왔다고 했다. 그는 메카의 수라가 90개라고 하고 메디나 수라는 24개라고 했다. 메카 수라들과 메디나 수라들이 각각 서로 간의 연대기적 순서가 있다고 보고 다음과 같이 6단계의 메카 꾸란을 확정한 뒤에 메디나 꾸란의 순서를 정했다.[7]

무함마드 아비드 알자비리는 메카 시기와 메디나 시기 등으로 구분하지 않고 '마르할라'(Marḥalah, 포교 단계)라는 단어를 사용했다. 시기(laḥẓah)라는 말은 분리의 개념을 갖고 이전으로 되돌아가지 않고 앞으로 나아간다는 개념이 강하지만 포교 단계는 장소가 연장된다는 의미가 있고 각 단계는 그 이전과 그 이후가 연결된다고 말한다.

7 Muhammad 'Abid al-Jabiri, Fahm al-Qur'ān al-ḥakīm, Part 1-3, 2009.

1) 메카의 첫째 포교 단계: 예언, 루부비야, 울루히야[8]

(다음 단계와의 연결 어휘: 주님, 알라, 알라흐만)

내려온 순서	꾸란 명칭	내려온 순서	꾸란 명칭
1	알알라끄 96장 (1-5절)	15	알카피르 109장
2	알뭇닷시르 74장(1-10절)	16	알필 105장
3	알마사드 111장	17	알팔라끄 113장
4	알타크위르 81장	18	알나스 114장
5	알아알라 87장	19	알이클라스 112장
6	알라일 92장	20	알파티하 1장
7	알파즈르 89장	21	알라흐만 55장
8	알두하 93장	22	알나즘 53장
9	알샤르흐 94장	23	아바사 80장
10	알아쓰르 103장	24	알샴스 91장
11	알아디야트 100장	25	알부루즈 85장
12	알카우사르 108장	26	알틴 95장
13	알타카수르 102장	27	꾸라이쉬 106장
14	알마운 107장		

꾸란의 담화는 예언과 루부비야로 시작했다. 무함마드의 포교 방식은 대화와 접촉으로 확대되고 그 뒤에 논증을 했다. 알라의 이름들 중 "알라흐만"이 소개되었다.

8 타우히드 알울루히야는 쉬르크와 위선이 없이 알라에게 여러 종류의 내적 예배와 외적 예배를 실행하는 것이다. 이븐 타이미야는 타우히드(일신론)를 루부비야(알라가 창조주), 울루히야(알라가 예배받는 자), 그리고 알라의 이름과 속성 등 셋으로 나눴으나 오늘날 아쉬아리파 무슬림들은 루부비야가 울루히야와 같다고 설명한다.

2) 메카의 둘째 포교 단계: 부활을 위해 영혼이 몸으로 돌아감(바으스), 보상(다음 단계와의 연결 어휘: 내세)

내려온 순서	꾸란 명칭	내려온 순서	꾸란 명칭
28	알까리아 101장	33	까프 50장
29	알잘잘라 99장	34	알발라드 90장 알알라끄 96장(6-19) 알뭇닷시르 74장(11-56)
30	알끼야마 75장	35	알깔람 68장
31	알후마자 104장	36	알따리끄 86장
32	알무르살라트 77장	37	알까마르 54장

타우히드(예언, 루부비야, 울루히야)에서 바으스와 보상을 강조하는 것으로 바뀐다. '그때' 일어난 여러 정황을 소개하고 나서 죽은 자가 알라 앞에서 계산을 받고 상과 벌이 있다. 무함마드의 포교 방식은 내세에 대한 주제에 관심이 높아진다.

3) 메카의 셋째 포교 단계: 쉬르크(다신 숭배)의 폐지와 우상(싸남) 숭배의 취소(다음 단계와의 연결 어휘: 타우히드, 우상)

내려온 순서	꾸란 명칭	내려온 순서	꾸란 명칭
38	싸드 38장	45	따하 20장
39	알아아라프 7장	46	알와끼아 56장
40	알진 72장	47	알슈아라 26장
41	야신 36장	48	알나믈 27장
42	알푸르깐 25장	49	알까싸쓰 28장
43	파띠르 35장	50	유누스 10장
44	마르얌 19장	51	후드 11장
		52	유수프 12장

꾸라이쉬의 무쉬리쿤(다신 숭배자)과 무함마드 사이에 긴장이 있었다. 이런 긴장이 아부 딸립을 관여하게 했다. 무함마드가 꾸라이쉬의 쉬르크(다신 숭배)와 우상 숭배 때문에 강한 저항감을 받는다. 무함마드의 포교 방식은 쉬르크를 그만두고 우상 숭배가 어리석다는 것을 강조한다.

4) 메카의 넷째 포교 단계: 공개적으로 이슬람을 포교하라는 알라의 명령을 수행하고 부족들과 접촉(다음 단계와의 연결 어휘: 시장 등지에서 무함마드의 포교)

내려온 순서	꾸란 명칭	내려온 순서	꾸란 명칭
53	알히즈르 15장	56	루끄만 31장
54	알안암 6장	57	사바 34 장
55	알쌉파트 37장		

무함마드의 예언이 시작된 지 3년 또는 4년째가 되던 해에 무슬림의 수는 40여 명이었다. 메카의 첫째 포교 단계부터 셋째 포교 단계까지 대략 4년 동안 무함마드의 포교가 지속되었다.

압둘라 븐 마스우드가 알라흐만 장을 메카 사원에서 낭송했을 때 꾸란이 처음으로 공개적으로 선포되었다. 무함마드가 알나즘 장을 낭송했을 때 꾸라이쉬의 유지들이 이것을 듣고 질문하기 시작했다. 그들은 무함마드를 주술, 점쟁이, 미친 사람이라고 험담했다. 무함마드 예언이 시작된 지 6년째 또는 5년 반이 되던 때에 남자 11명과 4명의 여성이 아비시니아로 1차 피신을 했다.

메카에서 첫째 포교 단계부터 셋째 포교 단계까지는 꾸란의 메시지가 메카의 주민에게 향했고 교리를 설명하고 꾸라이쉬와 맞섰으나 메카의 제4차 포교 단계에는 꾸라이쉬가 아닌 아랍인들에게 시장과 명절 때 꾸란의 메시지가 전해졌다.

5) 메카의 다섯째 포교 단계: 무함마드와 그를 따르던 사람들이 어려움을 당하고 무슬림들이 아비시니아(에티오피아)로 피신함 (다음 단계와의 연결 어휘: 방황과 인도)

내려온 순서	꾸란 명칭	내려온 순서	꾸란 명칭
58	알주마르 39장	62	알주크루프 43 장
59	가피르 40장	63	알두칸 44장
60	알풋씰라트 41장	64	알자시야 45장
61	알슈라 42장	65	알아흐까프 46장

3년간 바누 하심과 바누 알뭇딸립과 무함마드가 봉쇄 속에서 살았다. 일부 무슬림들이 메카를 떠나 아비시니아로 피신했다.

6) 메카의 여섯째 포교 단계: 박해 이후와 메디나 부족들과 접촉, 메디나로 이주할 준비(다음 단계와의 연결 어휘: 메디나 이주)

내려온 순서	꾸란 명칭	내려온 순서	꾸란 명칭
66	누흐 71장	78	알학까 69장
67	알다리야트 51 장	79	알마아리즈 70장
68	알가시야 88장	80	알나바 78장
69	알인산 76장	81	알나지아트 79장
70	알카흐프 18장	82	알인피따르 82장
71	알나홀 16장	83	알인쉬까끄 84장
72	이브라힘 14장	84	알뭇잠밀 73장
73	알안비야 21장	85	알라아드 13 장

74	알무으미눈 23장	86	알이스라 17장
75	알사즈다 32장	87	알룸 30장
76	알뚜르 52장	88	알안카부트 29장
77	알물크 67장	89	알무땁피핀 83장
		90	알핫즈 22장

무함마드의 삼촌 아부 딸립, 그의 첫 아내 카디자가 죽고 무함마드는 그해 연말에 사우다와 재혼한다. 아부 바크르의 딸 아이샤가 9살 때 무함마드와 언약을 하고 무함마드는 메디나에 가서야 아이샤와 잠자리를 같이한다. 무함마드는 각종 명절 때와 시장에서 포교를 재개하고 알라, 바으스, 우상 숭배를 버리라는 말 대신에 설교와 이야기 방식을 도입하여 포교한다.

7) 메디나 포교 단계: 메디나에서 라술(메신저)

내려온 순서	꾸란 명칭	내려온 순서	꾸란 명칭
91	알바까라 2장	103	알누르 24장
92	알까드르 97장	104	알무나피꾼 63장
93	알안팔 8장	105	알무자딜라 58장
94	아알 이므란 3장	106	알후주라트 49장
95	알아흐잡 33장	107	알타흐림 66장
96	알뭄타히나 60장	108	알타가분 64장
97	알니사 4장	109	알쌉프 61장
98	알하디드 57장	110	알주므아 62장
99	무함마드 47장	111	알파트흐 48장
100	알딸라끄 65장	112	알마이다 5장
101	알바이나 98장	113	알타우바 9장
102	알하쉬르 59 장	114	알나쓰르 110장

이 시기에는 공존, 새로운 사회적 계약, 꾸라이쉬 부족의 상업적 이익을 위한 전략, 기도의 방향 변경, 바드르 전투, 유대인들과의 갈등, 알아흐잡 전투의 패배, 알후다이비야 협상, 메카인들의 항복, 메카 입성, 타북 전투 등이 나온다.

3. 메카 수라와 메디나 수라의 특징

메카 꾸란에서 알라의 대화 대상이 무함마드, 무쉬리쿤(다신 숭배자) 그리고 무슬림들이고, 메디나 꾸란에서 대화 대상이 무함마드, 다신 숭배자, 유대인과 나싸라(이싸를 따르는 자들), 무나피쿤[9](위선자), 아랍인, 무으민(믿는 자)이 등장하고 전투를 장려하는 말과 용서를 당부하는 말이 나온다. 이 시기에 무슬림들과 여성들 특히 무함마드의 부인들에 관한 이야기가 나온다.

메카 수라가 메디나 수라보다 수효가 더 많지만 대체로 메디나 수라들이 메카 수라보다 더 길어서 전체 수라 중 약 63%가 메카 수라이다. 메카 수라는 산문도 아니고 시도 아닌 독특한 문체를 갖고 있고 율격이 있는 산문이라서 논리적이고 지적이라기보다는 감성적이다. 그러나 메디나 수라는 주로 산문의 문체이고 시적인 느낌이 빠져 있다.

메카 수라는 무함마드의 사명에 근거를 두었고 그의 사명이 메카 꾸란 내용의 성격을 주도했다. 14개 구절에서 무함마드가 말하는 것은 신이 그에게 내려 준 것이 꾸란이라고 했고 2개의 구절은 "나는

9 마음 속에 쿠프르(알라를 믿지 않음)를 숨기고 혀로 믿음을 나타내는 자다.

너희들과 같은 인간"이라고 했다. 메카 꾸란 46:9는 "나는 새로운 메신저가 아니다. 나에게 또는 너희들에게 알라가 무엇을 행하실지 나는 모른다"고 했다.

무함마드의 사명은 메시지를 선포하는 일이었다. 메카 수라에서는 무함마드가 사람들의 일을 처리해 주기 위하여 보냄을 받은 자가 아니고 그들의 보호자도 아니라고 했다. 메디나 수라에서는 무함마드가 메시지를 나르는 사람일 뿐만 아니라 모두가 복종해야 할 최고의 권위를 갖는 자로 부각되었다. 알라와 무함마드, 부활을 믿는 자에게는 잔나(극락)의 즐거움이 약속되어 있고 그렇지 않은 사람에게는 지옥의 고통이 있다고 했다. 메카 수라에서 극락과 지옥의 설명은 매우 사실적이고 육감적이다.

전반적으로 처벌에 대한 위협이 보상에 대한 약속보다 더 우세하다. 특히 카피르(믿지 않는자)의 처벌은 내세의 고통뿐만 아니라 현세에서도 벌을 받는다. 옛날과 옛사람들에 대한 꾸란의 이야기들은 알라에게 불순종하여 소읍과 부족들이 망했다는 것을 상기시켜 준다. 메카 수라에 주로 등장하는 내세의 고통은 심판의 날이 다가온다는 경고와 맞물려 있다. 이와 반대로 믿음을 갖는 자의 보상은 극락이 약속되어 있다. 메디나 수라에서는 전리품에 대한 약속 등 좀 더 세속적인 내용들이 언급되었다.

메카 수라에는 입법이 될 만한 계명보다는 대체로 권유, 안내, 좋은 소식을 전하는 내용이다. 부모를 공경하고 어려운 자들을 돕고 의무를 행하고 나쁜 일을 안 해야 한다는 내용이 메카 수라에 나왔지만 이런 내용이 반드시 입법을 위한 것은 아니었다. 그러나 메디나 이주 후에는 무함마드가 입법자와 통치자, 중재자, 정치인으로 등장한다.

메카 수라에는 몇 구절을 제외하고 무함마드의 외부 생활환경에 대한 언급이 없으나 메디나 수라에서는 무함마드의 개인적 상황과 관련된 내용이 나온다. 가령 양자의 이혼한 아내와 무함마드가 혼인하는 내용, 무함마드가 혼인할 수 있는 여성들의 범위, 무함마드 아내들이 베일을 써야 하는 문제, 무함마드가 죽은 뒤 그의 미망인들과 믿는 자(무슬림)들이 혼인해서는 안 된다는 내용, 허락 없이 무함마드의 집에 들어가서는 안 된다는 내용들이 들어 있다.

꾸란 33:56에서는 "알라와 천사들이 예언자를 칭찬하다(자비를 베푼다)"라고 하여 사람들이 무함마드를 아무렇게나 대해서는 안 된다고 했다. 꾸란 66장에서는 무함마드와 그의 부인들과의 관계에서 위기가 있었던 내용을 기록하고 있고 꾸란 24장에서는 무함마드의 아내 아이샤에 대한 고소와 간음한 자의 처벌에 대하여 기록했다.

꾸란에 등장하는 "위선자"(munāfiq)라는 말은 메카 수라에는 나오지 않았다. 무함마드가 메디나로 이주한 직후 무함마드는 무슬림 커뮤니티를 만들고 리더로서의 권력을 갖게 되었다. 시기심이 있고 야망을 품은 사람들이 그의 리더십과 물질적 혜택에 욕심을 냈으나 종국에는 성공을 거두지 못하자 그들이 이중적인 태도를 보였다. 그들은 무함마드에게 충성을 맹세하면서도 무함마드의 일을 좌절시키려고 비밀리에 음모에 가담했다. 625년 우후드 전투에서 이런 위선적인 사람들의 모습이 드러났다. 그래서 꾸란 4:145에서 위선자는 지옥의 가장 낮은 곳으로 떨어지고 아무도 그를 도와줄 수 없을 것이라고 했다.

무함마드는 그의 적들에 대한 태도가 메카 수라와 메디나 수라에서 서로 달랐다. 그가 메카에 있는 동안 무쉬리쿤(다신 숭배자들)이 그의 메시지를 거부하고 경멸하고 학대하고 모욕을 주었다. 그의 메시지를 옛 전설이라고 하거나 환각 혹은 주술에 의한 말 혹은 거짓말이라고 했다. 그의 대적 아부 자흘이 무함마드가 속한 하쉼 가문을 쫓아내기 위하여 꾸라이쉬의 다른 가문과 연합하는 데 성공했다. 619년 아부 딸립이 사망한 뒤 가문의 지도자가 된 무함마드의 삼촌 아부 라합도 무함마드를 쫓아내는 데 동참했다.

무함마드의 삼촌 아부 딸립과 부인 카디자가 죽은 뒤에는 메카에서 적으로부터 그를 도와줄 사람이 없었다. 그래서 메카에서 70마일 떨어진 따이프의 사끼프 족이 그를 도와줄까 싶어 10일간 그들 속에 머물렀으나 역시 그들도 메카인 못지않게 무함마드에게 적대적이었다. 메카에서 박해를 받던 무함마드는 메카의 적들에게 알라가 그들을 저주한다는 것과 그들을 위협하는 내용을 선포하는 것 이외에는 아무것도 할 수 없었다.

메카의 초기 수라는 최후의 심판과 예언자 직에 관한 내용이 시적인 표현으로 나타나고 메카 중반의 수라는 무함마드가 적들에게 압도당하면서 그의 시적 문체가 비난조로 바뀌었다. 메카 후기에는 메카 사람들과 모든 아랍인을 향한 설교가 주류를 이뤘다. 메카 수라들이 설득, 약속, 위협이 주제로 등장하지만, 메디나 수라는 의무나 명령조의 내용이 많았다. 그리고 전체적으로 보면 꾸란의 1/5이 부활과 잔나와 지옥에 관한 내용이고 또 1/5은 예언자들과 고대의 역사적 인물들의 삶과 경험들이 들어 있다. 또 꾸란의 1/10은 종교적, 윤리적, 법률적, 사회적 계율에 관한 내용이다.

요약

(1) 꾸란의 메카 수라와 메디나 수라의 분류가 학자마다 다르다.

(2) 꾸란의 카이로 판이 정한 수라의 순서대로가 아니라 꾸란을 이해하기 위해서는 꾸란이 무함마드에게 내려온 순서에 따라 읽는다.

(3) 꾸란의 수라나 구절이 내려온 순서에 따라 꾸란을 재배열하면 꾸란을 본래의 순서에 가깝게 읽을 수 있을 뿐만 아니라 무함마드의 포교(다아와 무함마디야)와 무함마드의 전기 연대순에 맞게 꾸란을 읽을 수 있다.

(4) 무함마드 아비드 알자비리는 메카 수라의 대 주제는 교리와 윤리이고 메디나 수라의 대 주제는 법 그리고 국가에 법을 적용하는 것이라고 한다.

제6장

꾸란 해석의 단계

꾸란 해석의 단계를 여러 가지 기준에 따라 구분할 수 있다. 그중 하나는 꾸란 해석을 연대기적 단계로 구분하는 것인데 무함마드의 시기, 타비인의 시기, 기록의 시기로 나누기도 한다.[1] 그런데 무함마드 후세인 알다하비는 꾸란 해석을 학문적 진보를 중심으로 다음과 같이 나누었다.[2]

1. 제1보

무함마드 이후 꾸란 해석은 전수에 의하여 전달되었다. 싸하바(무함마드를 만난 무슬림)는 무함마드에게서 직접 들은 후 전하였고 타비인들은 무함마드를 직접 만난 무슬림의 말을 전하였기 때문에 서로가 연이어 전수한 것이다.

---

1 꾸란 해석의 연결고리에 대하여 전통적인 무슬림들은 무함마드로부터 시작했으나 오리엔탈리스트 완스브러는 무함마드 때 시작되지 않았다고 반론을 폈다.

2 Muḥammad Ḥusayn al-Dhahabī, al-Tafsīr wa al-Mufassirūn, Part.1(Cairo: Dār al-Hadīth, 2011), 131-132.

2. 제2보

싸하바와 타비인의 시대 이후에 꾸란 해석은 또 다른 진보의 두 번째 발걸음을 내디뎠다. 이때 무함마드의 하디스가 기록되기 시작했으나 하디스와 해석학이 서로 구분되지 않았다. 꾸란을 수라별로 또는 구절별로 해석한 저술은 없었다. 해석에 대한 자료가 독립적으로 기록되지 않았다.

3. 제3보

제2보 다음에 오는 해석의 진보는 꾸란 해석이 하디스와 구분되었다는 것과 해석이 '해석학'으로 정립되었다는 것이다. 꾸란이 구절(Verse)별로 해석되기 시작하고 무쓰하프의 순서가 정해졌다. 이때 대표적인 해석자로는 이븐 자리르 알따바리(310 AH)가 있다. 모든 해석은 전달자 계보를 따라서 싸하바, 타비인, 타비우 알타비인(타비인의 동무들)의 말들로 추적해 갔다.

이븐 자리르 알따바리의 주석서는 살라프(타비인 이전의 무슬림)의 말들을 언급하고 그 내용 중에서 어느 것이 다른 것보다 우선한다고 말하고 어말 모음 변화에 대한 것을 추가했다. 그리고 꾸란 구절에서 취할 수 있는 법을 도출했다.

꾸란 해석이 하디스와 분리되었다는 말은 이전의 것을 지워버리거나 폐기했다는 것이 아니라 해석이 진일보했다는 것이다. 제1보에서는 도제와 구전을 통한 전수이고 제2보는 제1보와 동일한데, 해석은 하디스의 한 분야였다. 제3보에서는 해석이 하디스에서 독립되었다. 꾸란을 모두 해석한 것을 기록한 최초의 사람이 누구인지 알기 어렵다.

4. 제4보

꾸란 해석이 제3보에서 머물지 않고 발전하여 제4보로 진전되었는데 제4보에서도 전수에 의한 해석을 넘어서지 못했고 전수를 넘어설 경우 전달자 계보를 밝혔다. 제4보에는 해석에 관한 책에 이스라일리야트가 포함되어 있었다.

5. 제5보

제5보에서는 더 넓게 발걸음을 움직인 것인데 압바시야조부터 오늘날까지가 제5보에 해당된다. 해석이 살라프에게서 전수한 것만을 기록하던 시기가 지난 뒤에는 이성적인 이해와 전수에 의한 해석이 섞이는 시기가 왔다.

해석학이 하나의 학문으로 독립된 시기는 이슬람력 2세기 초부터 4세기 중반까지이므로 대략 800-1000년이고 압바시야 조가 바그다드에서 문예 부흥을 일으켰던 시기이다. 바그다드에서 그리스철학의 영향으로 이성에 의한 해석이 처음 등장했다. 이때 아랍어학이 발달하였고, 법학파와 이슬람 분파(교리적 분파와 정치적 분파)와 이슬람 교리가 서로 달라지면서 꾸란 주석서들도 다양해졌다.

위와 같은 학문적 발달을 중심으로 해석의 진전 상황을 살펴보았는데 대부분 꾸란학 책에서는 학문적 발달보다는 해석의 발달을 시기별로 구분한다.

(1) 꾸란 해석의 태동기
(2) 싸하바의 시기(이슬람력 11년부터 이슬람력 40년)
(3) 타비인의 시기(이슬람력 40년부터 이슬람력 2세기 초까지)
(4) 꾸란 해석의 저술이 전문화된 시기(이슬람력 2세기 초부터 이슬람력 4세기 중반까지)[3]
(5) 현대 시기의 해석

첫째, 꾸란 해석의 태동기는 꾸란 전체가 해석되지 않고 필요에 따라 일부만 해석되었다. 해석에서 서로 다른 차이는 없었는데 그 이유는 당시에 의문이 생기면 무함마드에게 직접 물어보았기 때문이다. 아직 꾸란 해석이 책으로 기록되지 않았다.

둘째, 싸하바의 시기에는 사람들이 어려워하는 부분만 해설하였기 때문에 설명과 해석이 확대된 시기이다. 이 시기에 아랍인이 아닌 사람들이 이슬람에 들어왔고, 이들은 아랍어를 몰라서 꾸란을 이해하지 못했다. 사실 꾸란을 꾸란으로 해석하는 것이 가장 좋은 방법인데 이 시기에는 싸하바가 무함마드의 설명과 해설을 취했던 시기이다. 그리고 아랍어를 배워서 아랍어로 쓰인 꾸란의 의미와 의도를 알고자 했다.

---

3 https://youtu.be/CoCMvv7kB9c 2019년 3월 20일 검색.

이 시기의 대표적인 꾸란 해석자는 이븐 압바스(ibn 'Abbās)이고 꾸란 해석자들이 꾸란 해석에서 서로 큰 차이가 없었다. 만일 어떤 차이가 있다면 그것은 다양성의 차이라고 했다. 이때는 각 단어를 세세하게 해석하기보다는 해당 구절(verse)의 전체 의미를 해석하는 데 관심을 두었다.

그런데 이런 해석들이 책으로 기록되지 못했고 일부 싸하바(무함마드를 만난 무슬림들)가 일부 해석을 기록했을 뿐이다. 무슬림들은 꾸란의 의미와 법을 아는 데 관심을 가졌고 이때는 비드아(전례가 없이 새로운 것)가 없었던 시기라고 한다.

셋째, 타비인의 시기인데, 타비인들은 싸하바에게서 그들의 꾸란 해석을 취했고 설명이 필요한 구절에서는 일부 첨가가 이루어졌다. 싸하바들이 여러 지역으로 흩어지고 타비인은 싸하바에게서 해석을 얻었다. 이때 해석의 특징으로는 전수에 의한 해석이다.

무함마드 후세인 알다하비는 해석학의 학문적 진보에 따라 구분할 때 기록의 시기를 우마위야 조 말기부터 압바시야조 초기까지라고 했다.[4] 아흐마드 압둘 갑파르는 기록의 시기는 이슬람력 1세기 말부터 이슬람력 2세기 초까지라고 한다. 이 시기의 특징은 이슬람과 아랍 학문이 모두 기록되기 시작했고 전수에 의한 해석을 고수했다. 이스라일리야트가 주석에 포함되었는데 이스라일리야트는 이스라엘 자손들에게서 전달된 이야기나 예언자 이야기를 설명하는 데 사용되었다.

4 Muḥammad Ḥusayn al-Dhahabī, al-Tafsīr wa al-Mufassirūn, Part.1, 127.

넷째, 꾸란 해석의 저술이 전문화된 시기이다.[5] 꾸란 해석학에서 가장 중요한 시기이다. 이 시기에 해석학파가 세워졌다. 해석학파로는 메카, 메디나, 이라크의 해석학파가 있었다.[6]

이때 하디스에 꾸란 해석을 기록하기 시작했고 하디스에는 무함마드와 싸하바와 타비인이 말한 내용이 독립된 장절로 엮어졌다. 꾸란 해석에 대한 전문 서적의 초기 형태가 나타났고 꾸란의 각 구절(verse)을 해석하고 각 장 순서대로 해석했다.

전수에 의한 해석 이후에 꾸란 구절에 대한 개별적인 이해를 하려는 시도들이 있었는데 이것을 "견해 또는 이성에 의한 해석"이라고 한다. 그리고 이때부터 어떤 해석의 내용이 다른 해석 내용보다 더 낫다는 평가를 기록했다. 이런 일이 점차 많아지면서 견해(이성)에 의한 해석이 전수에 의한 해석에서 독립되었다.

이성에 의한 해석은 아랍어학이 세분되고 법학파와 이슬람 분파 그리고 이슬람 교리에서 서로 달라지면서 생겨난 것이다. 이 시기의 특징은 해석 책 저술이 하디스와 그 밖의 학문과 분리되었다. 이성에 의한 해석과 전수에 의한 해석이 서로 구분되었다.

꾸란을 왜곡시킨 해석이 등장했는데 그 이유는 여러 다른 분파가 그들의 신앙과 견해를 중심으로 꾸란을 해석했기 때문이다. 따라서

---

5 서구에서 편찬한 꾸란 사전(vol.2; 105)에서는 8세기를 꾸란 해석의 형성기라고 하면서 꾸란 해석은 어휘를 바꿔 설명한 해석, 내러티브(경전의 순서에 따름) 해석, 법적 해석(주제의 배열과 나스크에 관심을 가짐)이 특징이라고 했다.

6 메카의 해석학파는 이븐 압바스에게서 취하고 타비인들 중에는 사이드 븐 주바이르와 무자히드 이븐 주바이르가 있다. 메디나의 해석학파는 우바이 븐 카압에게서 취하고 유명한 타비인들 중에는 아부 알알리야, 무함마드 알까르디가 있다. 이라크의 해석학파는 이븐 마스우드에게서 취하고 가장 유명한 타비인들 중에는 알까마 븐 까이스, 알하산 알바쓰리가 있다.

해석자의 관심 분야에 따라 해석이 특성화되었는데 문장 속의 어말 모음 변화와 언어에 관심을 가진 해석자는 언어적 해석을 했고 법적 규정을 도출하는 데 관심을 가진 해석자는 법적 해석을 했고 그 밖의 역사적인 해석이 있었다.

압바시야조 시기에 독경법이 바쓰라와 쿠파에서 발달했고 이 분야의 전문가는 꾸란에 나오는 어렵고 희귀한 낱말이나 표현을 설명하려는 문법학자이자 언어학자였다. 그래서 꾸란 독경법이 꾸란학의 하위 분야가 되었고 꾸란 해석에서 가장 필요한 분야가 되었다. 꾸란 텍스트에 대한 변증적[7], 법적 해석이 꾸란 독경법(용인된 독법은 물론 불규칙한 독법, 어말 모음 변화 분석을 포함)에 근거한 책들 속에 나타났다.

대표적인 문법학자로는 페르시아 출신의 시바와이히가 있었고 그는 바쓰라 문법학파에 속한다. 그의 영향을 받은 아부 우바이다 마으마르 븐 알무산나(825)는 『Majāz al-Qur'ān』이란 꾸란 주석서를 썼는데 그는 유대인 출신이었다. 이때 마자즈(Majāz)는 figurative speech(수사적인 말)라는 수사법 용어가 아니고 '허용된, 표현된'이란 뜻이었다. 쿠파 학파에 속하는 문법학자는 알파라(al-Farrā'; 822)가 있는데 그는 무으타질라파에 경도된 『꾸란의 특(Qualities)』(*Ma'ānī al-Qur'ān*)이란 책을 남겼다.

다섯째, 이슬람력 7세기의 해석인데 수피, 법학자, 시아와의 갈등 속에서 순니의 교리적 해석(타프시르 아끄디)의 특징이 크게 드러난 시기이다. 이 시기에 알무으타질라의 교리적 해석이나 알카와리즈

7 변증학자(무타칼림) 해석은 무으타질라파에 의하여 활발해졌다.

해석은 나타나지 않았고 시아 해석,[8] 철학적 해석, 과학적 해석은 극히 드물었다.[9]

이슬람력 7세기 때 108명의 해석가 중에서 가장 많이 사용한 해석 방법은 전수에 의한 해석이었다. 전수에 의한 해석 방식의 관심이 해석자마다 차이가 있었다. 일부는 언어적 전수에 더 관심을 가졌다. 이슬람력 6세기 알라지(606 AH, 1209)의 해석 방식에 이어서 이슬람력 7세기에도 교리적 해석의 성향이 강했다. 그것은 순니, 시아, 법학자, 수피즘 간의 분파적 갈등과 타타르와 십자군 등 비무슬림과의 충돌 때문에 순니 교리를 정립해야 했다.

이슬람력 7세기의 교리적인 측면을 가장 많이 관심을 가진 사람은 이븐 타이미야(728 AH, 1328)였고 그 밖에 알꾸르뚜비(671 AH, 1272), 알바이다위(685 AH, 1286) 등이 있었다. 오늘날 이슬람 세계에서 무슬림들에게 가장 많은 영향을 주는 이븐 타이미야는 몽골의 침입을 받아 어쩔 수 없이 고향을 떠나야 했던 경험이 있다. 타타르와 십자군 전쟁에서 벗어난 시기였다. 그는 이슬람의 올바른 근본(우쑬)과 굳건한 토대로 되돌아가자고 했다. 이븐 타이미야의 책 중에는 『타프시르의 서문』이 있고 그와 동시대에는 수피 해석의 규칙에 관해 책을

8 시아파 주석은 부와이흐 이전(9세기 중반부터 10세기 말) 주석파와 부와이흐 이후 주석파로 나뉜다. 부와이흐 조(945-1055)는 신학적 창조성과 내적 변혁으로 유명하고 시아의 12이맘파(Imāmī Shī'ite)의 황금기를 이루었다. 부와이흐 이전 시기는 12이맘파의 시기로 대조하면 대략 소은폐(874-878) 시기와 대은폐(941) 사이의 기간이다. 부와이흐 이전 주석학파의 특징은 시아 전승의 하디스에 의존하고 꾸란의 텍스트에는 주로 시아 암시와 관련된 구절에 관심을 갖고 시아 이맘의 무오류성과 관련된 구절, 심판의 날에 있을 중보, 극도의 순니 반대 경향, 싸하바에 대한 적대적 태도가 나타난다.

9 'Abd al-Nāṣir Thābit Ḥāmid, 'ittijāhāt al-Tafsīr fī al-Qarn al-Sābi' al-Hijrī, Part 2 (Cairo: Dār ibn 'Affān, 2019), 293-297.

쓴 수피의 대가 이븐 아라비의 『꾸란 이해를 위한 닫힌 문의 열쇠』가 있다.[10]

이슬람력 7세기에는 수사적 해석의 성향도 강했는데 이븐 자비르 알가르나띠(708 AH, 1308)와 알잇즈 븐 압둘 살람(660 AH, 1262), 아부 바크르 알라지(666 AH, 1268) 등이 있다. 이슬람력 7세기에 법적 해석의 성향도 강하게 나타났는데 알꾸르뚜비, 이븐 타이미야 등이 있다. 그리고 이 시기에 수피 해석 성향이 강하였는데 이븐 아라비의 와흐다 알우주드(신과 인간의 결합)의 영향으로 이론적 수피 해석의 성향이 나타났고 또 실천적인 수피들의 영향으로 수피의 이샤리 해석의 성향이 나타났다.

여섯째, 이슬람의 나흐다(부흥) 시기 초부터 현대 시기까지 주석에서 타즈디드 운동이 계속되었다. 타즈디드 운동은 기존의 주석서를 다시 검토해 보고 결함이나 의심이 되는 사항을 골라내 보자는 데에서 비롯되었다. 무함마드 압두흐와 그의 제자들이 타즈디드를 했는데 그들의 방식을 따라가는 사람들이 오늘날까지 이어지고 있다. 그리고 꾸란 주석의 사회적 성향, 문학적 성향, 수사적 성향 등이 등장했다.

---

10 ‘Abd al-Nāṣir Thābit Ḥāmid, ’ittijāhāt al-Tafsīr fī al-Qarn al-Sābi‘ al-Hijrī, Part 2, 293.

요약

(1) 무함마드 후세인 알다하비는 해석의 단계를 무함마드 시기, 타비인의 시기, 기록의 시기 등 셋으로 나누었다.

(2) 아흐마드 압둘 갑파르는 꾸란 해석의 단계를 무함마드의 시기, 싸하바의 시기, 타비인의 시기로 구분했다.

(3) 일반적으로 꾸란 해석의 단계를 5단계로 구분했으나 이 책에서는 이슬람력 7세기의 해석을 포함시켰다.

(4) 무함마드와 싸하바와 타비인의 시기에서 이들은 구전된 내용을 전수하는 방식을 취했다.

(5) '단계'(marḥalah)는 해석학 발달의 연대별 구분이고 '진보'(khaṭwah)는 해석학의 학문적 진보를 가리킨다.

제7장

꾸란의 이스라일리야트

1. 이스라일리야트와 꾸란 해석

이스라일리야트[1]라는 단어는 유대인과 나싸라[2](이싸를 따르는 자들)의 말을 가리킨다. 아라비아반도의 북쪽에 유대인들이 더 많이 살았고 무슬림과 자주 만났다. 이스라일리야트가 유대인과 나싸라의 말을 가리키므로 경전의 백성(아흘 알키탑)과 연관된다.[3] 경전의 백성에 대한 꾸란 구절에서 알라는 무함마드에게 명령한다.

> 우리(알라)가 너에게 내려 준 것 중에서 의심이 나거든 너보다 먼저 그 책을 읽은 자들에게 물어보라. 너에게 너의 주님으로부터 진리가 왔다. 너는 의심하는 자가

---

1 제한된 의미에서 이스라일리야트는 유대인의 종교적 글과 전설을 담고 있는 이야기와 전승을 가리킨다. 좀 더 포괄적이고 좀 더 흔한 의미에서 이스라일리야트는 조로아스터교 등도 포함된다. 더구나 일부 자료에서는 모든 비무슬림의 자료가 무슬림 해석자에게 이스라일리야트로 불렸다고 했으나, 이스라일리야트의 용례는 이와 같이 여러 다른 종교를 가리킬 수 있지만 그 용어는 유대교 자료가 지배적인 경우에 사용하는 것이 적절하다.

2 오늘날 아랍 무슬림들은 나싸라가 이싸를 따르는 자라고 주장한다. 꾸란의 나싸라와 다르게 아랍어 성경에서 기독교인들은 마시히윤이라고 한다. 꾸란의 나싸라를 "(알마시흐) 이싸의 종교를 따르는 자" 또는 "나사렛 사람"(라쉬드 사이드 캇삽의 번역)이라고 한다.

3 'Aḥmad 'Abd al-Ghaffār, al-Tafsīr al-Qur'ānī, 23.

되지 말라(꾸란 10:94).

이 구절에 대한 무슬림들의 해석에서는 너보다 먼저 그 책을 읽은 사람들에게 무함마드가 물어보라는 것이고 여기서 그 책(The Book)은 타우라와 인질을 가리킨다고 한다.

그렇다면 무함마드 생존 시 무함마드 자신이 유대인과 나싸라에 대한 관점과 태도는 무엇이었을까?

꾸란에는 유대인에게서 온 이야기가 더 많다. 무함마드가 메디나로 이주할 때부터 무슬림들과 갈등을 빚은 유대인들이 죽임을 당하고 추방된 것은 우리가 익히 아는 사실이다. 간혹 한국인들이 이슬람은 기독교에 더 가깝다고 주장하는데 꾸란에는 유대인에게서 가져온 말이 더 많다.[4]

당시 아라비아반도 북부에 살던 주민 중 많은 비율이 유대인들이었고 그들은 무슬림과 가까이 섞여 살았다. 무슬림들의 주석에 따르면, 유대인과 나싸라는 그들이 하늘의 책에 근거한 종교적 지식을 갖고 있었다고 한다. 유대인은 그들의 종교적 지식을 타우라에 근거하였고 나싸라는 인질(알라가 이싸에게 내려 준 책)을 믿었다고 했다. 꾸란에 인질이란 단어가 12번 나오는데 그중 9번은 타우라와 동시에 나온다. 수라 5:46에서 알라가 이싸에게 인질을 주었다고 한다.

일부 영어나 한국어 꾸란 번역서에서는 인질을 복음이라고 번역했으나 인질과 복음서 간의 개념상 차이가 있다. 꾸란에는 인질이란 단어가 어느 언어에서 파생되었는지 확실하지 않고 또 항상 단수로 사

4 ’Aḥmad ‘Abd al-Ghaffār, al-Tafsīr al-Qur’ānī, 23.

용되고 있다. 오늘날 무슬림들은 경전의 백성(유대인과 나싸라)이 가진 지식이 진짜임을 증명하는 것이 필요하다고 주장한다.

첫째, 타우라와 인질에 들어 있는 지식의 출처를 기록한 사람들이 많은 사실을 교체했다고 무슬림들은 주장한다. 그들의 분파를 따르다 보니 또 타우라가 내려온 때와 기록한 때가 서로 달라서 이런 시간적 차이 때문에 알라가 내려 준 내용이 달라진 것이라고 했다.

둘째, 이런 지식을 전달한 사람들 대부분이 문맹이었기 때문에 그들이 전달하고 있는 것을 어느 정도 인식했는지에 대한 의심이 있다는 주장이다. 그들이 얼마나 이해했는지 의혹이 간다는 것이다. 더구나 이런 지식을 전달한 수단이 구두전달이었다고 했다.[5] 무슬림들의 이런 주장은 무함마드가 문맹이었기 때문에 꾸란을 내려받을 때 그의 생각이 꾸란 속에 들어가 있지 않다고 주장한 무슬림들의 논리와 비슷하다.

꾸란 해석 책들과 하디스 책들 속에 흘러들어 간 거짓 내용이 이슬람의 핵심을 왜곡하게 하고 무슬림들에게 길을 잃어버리게 한다고 무슬림들은 주장한다. 꾸란 해석과 하디스 학자들이 사용한 이스라일리야트는 많은 유대교 출처와 적은 분량의 나싸라 출처에서 가져온 전설과 이야기라고 했다. 무슬림들 사이에 이런 전설을 전한 유대인들은 메디나에서 무슬림들 옆에 살았다.

이스라일리야트는 이슬람 유산 속에 들어간 모든 것을 가리키는데 특히 꾸란 해석 분야에서는 유대교 출처를 갖는 이야기라고 했다. 이스라일리야트의 출처로는 타우라나 탈무드나 랍비 문학이 있고 거기

5 'Aḥmad 'Abd al-Ghaffār, al-Tafsīr al-Qur'ānī, 24.

에다가 나싸라의 것과 신화나 전설이 포함되었다. 나싸라를 포함한 이스라일리야트의 사람들은 이슬람이 시작되기 몇 백 년 전에 아라비아반도로 이주했다. 그때 나쓰라니야(나싸라의 종교)가 널리 퍼졌는데 특히 반도의 경계 지역(시리아, 예멘)에 나쓰라니야가 확산했다. 그리고 일단의 아랍인들이 유대교에 입교했고 다른 사람들은 나쓰라니야에 입교했다.

아랍인들 중에 나쓰라니야에 입교한 사람은 꾸라이쉬 부족 중에서 바누 아사드 븐 압둘 웃자 가문이다. 우스만 븐 알후와이리스 븐 아사드, 와라까 븐 나우팔 븐 아사드가 나싸라였고 바누 타밈 가문 중에서는 이므루 알까이스 븐 자이다, 라비아 바누 타글랍이 나싸라였다. 이와 같은 내용은 알자히즈, 이븐 꾸타이바, 이븐 하즘 알안달루시가 전해 준 것이다.[6]

유대인이 아랍에 정착하게 된 것은 70년 예루살렘 성전 파괴 이후 그들이 아랍으로 도망한 사람들이었다. 야스립(메디나), 힘야르, 타이마, 와디 알꾸라가 유대인들이 주로 정착한 곳인데 이슬람이 들어오기 전에 이미 그들의 요새를 짓고 있었다.[7] 유대인들이 이슬람 이전에 이미 아라비아반도에 살면서 그들의 문화가 아랍인에게 영향을 주었다. 아랍의 꾸라이쉬는 여름에는 시리아로 그리고 겨울에는 예멘으로 여행을 했다. 그런데 시리아와 예멘에는 각각 경전의 백성이 정착해서 살고 있었고 특히 유대인들이 그러했다. 따라서 아랍인과

6 'āmāl Muḥammad 'Abd al-Raḥmān Rabī', Al-'isrā'iīliyyāt fī Tafsīr al-Ṭabarī (Cairo: Lajnah 'iḥyā' al-Turāth al-'islāmī, 2015), 26.

7 'āmāl Muḥammad 'Abd al-Raḥmān Rabī', Al-'isrā'iīliyyāt fī Tafsīr al-Ṭabarī, 26.

이들 간의 다양한 만남과 교류가 있었다.

이슬람이 610년에 시작되자 무함마드는 이슬람을 소개하고 그들에게 포교하기 위해 경전의 백성과 대화했다. 꾸란의 메디나 장에는 이들과 논쟁하는 내용이 나온다. 그 결과로 경전의 백성 중에 이슬람으로 개종한 사람이 생겨났다. 무슬림과 경전의 백성이 공존하며 살다 보니 유대교인과 나싸라의 일부가 이슬람으로 개종한 것이다.

무함마드의 사명은 사람들이 그들의 종교 문제에서 모르는 것을 설명하고 정확하게 알려주는 것이었다. "알라가 내려 준 것을 사람들에게 설명하라"(Tabyīn)는 임무를 무함마드가 실천에 옮긴 것이다. 이런 내용으로 보면 꾸란 해석과 무함마드의 하디스가 서로 연관이 되어 있었다는 것을 알 수 있다.

이때 구두로 전하는 것이 주된 수단이었는데 무함마드는 싸하바(무함마드를 만난 무슬림) 옆에 앉아서 신의 말씀에 대하여 그들이 모르는 것을 전해 주고 필요한 곳에서는 해석도 해 주었다. 싸하바의 역할은 무함마드의 말을 그들이 들은 대로, 암기한 대로 무함마드와 함께하지 못한 사람들에게 전달했다. 특히 평생 무함마드를 만나지 못한 사람이나 무함마드가 죽은 후 이슬람으로 개종한 사람에게 그들이 전했고 타비인(싸하바의 동무들)도 동일한 임무를 수행했다.

물론 모든 시기마다 무함마드의 말을 전달하는 것이 아주 동일하고 정확한 것이 아니었다. 싸하바는 타비인보다 더 정직하고 공정하게 무함마드의 말을 정확하게 주의를 기울여 전했다. 그러나 타비인 이후에는 전달자마저도 어느 것이 사실이고 거짓인지 그리고 본래의

것과 유입된 것이 어느 것인지 분간하기 어려웠다.[8]

꾸란 해석의 다른 형태는 하디스가 기록된 것과 관련된다. 우마르 칼리파의 제안으로 꾸란 구절이 기록되었다. 그리고 무함마드의 하디스에는 꾸란 해석이 포함되어 있었다. 꾸란 해석이 하디스의 여러 장 중 하나의 장을 차지했다. 하디스를 모은 후 기록할 때 하디스와 꾸란 해석을 서로 분리했다.

앞서 말한 대로 구전 시기와 기록의 시기 두 단계에서 이스라일리야트가 스며들어 갔다. 구전의 시기에는 싸하바가 꾸란에 간략하게 나오는 이야기들의 상세한 내용을 알고 싶어 했다. 그런데 싸하바는 무함마드에게서 직접 물어보지 못한 것에 대하여 그들의 이웃에 사는 경전의 백성에게 이런 이야기의 상세한 내용을 물어보는 것을 주저하지 않았다. 물론 경전의 백성에게 물어본 내용은 이슬람의 법이나 입법에 관련된 것이 아니었다고 주장한다.[9]

타비인의 시절에 많은 경전의 백성이 이슬람으로 들어왔다. 일부 꾸란 해석자들이 그들이 모르는 상세한 것을 추가하려고 이스라일리야트에 대한 구전을 더 많이 듣게 되었다. 타비인 이후에는 이스라일리야트 속에서 상대적으로 귀한 것과 천한 것 사이의 구분이 없어졌다. 이스라일리야트의 구전만 들은 게 아니고 책에 근거하지 않는 전설이나 신화들도 듣게 되었다. 이렇게 해서 이스라일리야트가 꾸란 해석에 스며든 것은 싸하바의 시기부터 시작되었고 처음에는 제약이 있었지만, 시간이 지나면서 차용이 더 확대되고 발전했다.

---

8 'āmāl Muḥammad 'Abd al-Raḥmān Rabī', Al-'isrā'īīliyyāt fī Tafsīr al-Ṭabarī, 28.

9 'āmāl Muḥammad 'Abd al-Raḥmān Rabī', Al-'isrā'īīliyyāt fī Tafsīr al-Ṭabarī, 28.

하디스 기록물과 꾸란 해석의 기록물이 서로 분리가 된 후, 구전의 전달자 계보를 생략하자 이스라일리야트가 더욱 많아졌고 꾸란 해석에 덧붙은 신화들이 증가하고 이제는 둘을 서로 구분하기 어렵게 되었다.[10] 현대에 들어와서 꾸란 해석자들이 이스라일리야트를 꾸란에서 배격해야 한다고 강조했으나 이미 무슬림들이 쓴 주석서에 이스라일리야트가 스며들어 있었다.

이븐 칼둔(Ibn Khaldūn)은 이스라일리야트가 많아진 이유에 관하여 그의 책 서설(무깟디마)에서 다음과 같이 적고 있다.

> 그들의 책과 그들이 전한 말에는 귀한 것과 천한 것, 그리고 허용된 것과 거부된 것이 포함되어 있었다.[11]

이어서 이븐 칼둔은 "무슬림들이 창조의 시작과 존재의 비밀 등 어떤 것을 알고 싶어 갈망할 때에는 경전의 백성에게 물어보았는데 무슬림들은 그들에게서 유익을 얻었고 주석서에는 그들이 전해준 말로 가득했다"[12]고 전한다.

이처럼 이븐 칼둔은 이스라일리야트가 퍼진 이유에 대하여 2가지 요인을 지적했는데 하나는 사회적인 요인으로서 아랍인들이 사막의 유목민 생활을 하고 문맹이 많았다는 것이고 다른 하나는 종교적인 것인데 입법에서는 이스라일리야트를 사용하지 않았다는 것이다.

결론적으로, 이스라일리야트는 주로 유대인의 자료에서 온 정보를

---

10 'āmāl Muḥammad 'Abd al-Raḥmān Rabī', Al-'isrā'īliyyāt fī Tafsīr al-Ṭabarī, 28.

11 'āmāl Muḥammad 'Abd al-Raḥmān Rabī', Al-'isrā'īliyyāt fī Tafsīr al-Ṭabarī, 29.

12 'āmāl Muḥammad 'Abd al-Raḥmān Rabī', Al-'isrā'īliyyāt fī Tafsīr al-Ṭabarī, 29.

가리키는데 이 정보가 꾸란 구절을 해석하는 데 사용되었다는 점이다. 이스라일리야트는 예언자들의 이야기, 창조에서 무함마드 시대까지의 내러티브, 무싸의 죽음에서 히브리 민족이 가나안 땅에 도착한 시기와 연관된 내러티브 등이 들어 있었다. 특히 예언자들의 이야기와 옛 민족들과 관련된 이야기가 들어 있다. 그러나 꾸란의 이야기는 사건과 국명과 인명의 기록에 대한 세세한 언급이 없고 그 대신에 교훈이 되는 이야기가 많았다.

하디스 수집가이자 전달자 알부카리의 전언에 따르면 "경전 백성의 말이 맞다고 하거나 거짓말이라고 하지 말고 우리는 알라와 그가 내려 준 것을 믿는다"고 말하라고 했다고 한다. 그러나 무슬림들이 이슬람 교리와 법에 관련되지 않는 내용이면 이스라일리야트의 내용을 받아들였고 나중에는 어느 것이 이스라일리야트인지 아닌지 구분이 안 되었다.

타비인 이후부터 무슬림들이 이스라일리야트에 관심이 커졌다는 것은 꾸란 자체가 꾸란 이전의 책과 관련된 이야기를 상세하게 설명하지 못하고 있다는 것이다. 꾸란에 간략하게 언급된 것으로는 무슬림들이 그 꾸란 구절을 충분하게 이해하지 못했다. 이스라일리야트가 이슬람에 들어간 경위는 유대인이나 나싸라가 이슬람으로 개종한 다음에 그들이 이미 알고 있는 것을 이슬람으로 들여왔다고 한다.

그렇다면 나싸라가 우리가 알고 있는 기독교인들과 같은가?

나싸라는 나사렛 동네의 사람들이란 말에서 연유한 것이고 아랍 무슬림들은 나싸라는 이싸를 따르는 자들이라고 말한다. 사실 꾸란의 이싸는 성경의 예수와 다르다. 꾸란의 이싸는 십자가에 돌아가시지 않았고 하나님의 아들이 아니기 때문이다.

2. 이스라일리야트에 대한 꾸란 해석자들의 태도

일반적으로 이스라일리야트에 대한 무슬림의 태도는 세 가지로 나뉜다.

첫째, 무슬림들이 유대인에게서 들었던 이야기에 대해 모호한 태도를 보인다.

아부 후라이라가 말하기를 "경전의 백성이 히브리어로 타우라를 낭독하곤 했다. 그들은 무슬림에게 아랍어로 그것을 설명했고 무함마드는 말하기를 경전의 백성을 믿지 마라"라고 했다. 다음 구절에서는 이와 다르게 무싸와 이싸에게 준 것을 믿는다고 한다.

> 말하라, 우리는 알라를 믿고 우리에게 내려 준 것과 이브라힘, 이스마일, 이스학, 야으꿉과 지파들에게 내려 준 것, 무싸에게 준 것과 이싸에게 준 것과 그들의 주님에게서 온 예언자들이 가져다 준 것을 믿는다. 우리는 그들 중 어느 하나도 차별하지 않는다. 우리는 알라에게 순종한다(꾸란 2:136).

그런데 다음 꾸란 구절에서는 알라가 내려 준 것에 의해서 인질의 사람들(알라가 이싸에게 내려 준 책을 믿는 자들)이 재판하라고 가르친다.

> 알라가 내려 준 것에 따라 인질의 사람('ahl al-'injīl)들이 재판하게 하라(꾸란 5:47).

둘째, 무슬림들이 유대교와 나싸라의 자료에서 온 정보를 의도적으로 피한다.

자비르는 전하기를 "우마르가 아랍어로 된 타우라의 일부를 기록하여 무함마드에게 보냈다. 무함마드가 그 내용을 알았을 때 무함마드의 얼굴이 변했다"고 했다. 무함마드가 말하기를 "경전의 백성에게 어느 것도 묻지 마라, 그들은 너희에게 올바른 길을 보여 주지 않을 것이며 이미 그들은 잘못된 길을 갔다"고 했다. 물론 이런 인용문이 사실인지 아닌지 우리가 알 수 없다.

셋째, 무슬림들이 유대교와 나싸라의 자료에서 온 정보를 받아들였다.

무슬림들이 유대교나 나싸라의 경전을 공부하고 베끼는 것과 그들의 종교적 실천을 배우는 것을 금지했다고 한 말도 있었지만 이와 반대의 사실을 전해 주는 전승이 있다. 그 예로, 무함마드가 다음과 같은 말을 했다고 알부카리 하디스는 전한다.[13]

> 단 한 문장이라도 사람들에게 내 가르침을 전하라 그리고 너를 가르쳐 준 바누 이스라일(이스라일 자손)의 이야기를 다른 사람에게 말해 주는 것은 죄가 아니니 그들에게 말해 줘라. 그러나 나(무함마드)에 대하여 거짓말을 의도적으로 하는 자는 지옥에 갈 것이다.

13 'āmāl Muḥammad 'Abd al-Raḥmān Rabī', Al-'isrā'iīliyyāt fī Tafsīr al-Ṭabarī, 32

오늘날 무슬림들이 가장 많이 참조하는 알따바리 주석서를 쓴 이븐 자리르 알따바리[14](923)는 이스라일리야트에 대하여 세 가지 입장을 보였다.

첫째, 지지하고 인정하는 태도,
둘째, 거부하고 부정하는 태도,
셋째, 주저하는 태도이다.[15]

알따바리의 이스라일리야트에 대한 전반적인 성향은 그가 이스라일리야트를 거부한다는 언급이 없이 이스라일리야트를 인정하고 재가하고 되풀이 사용했다. 그러나 일부 이스라일리야트에 대해서는 그가 거부하고 또 부정했다.

알따바리와 그와 동시대 사람들은 이스라일리야트의 문제와 그것이 이슬람 유산에 끼칠 위험성에 대하여 분명하게 언급하지 않았다. 오히려 그는 이스라일리야트의 내용을 인정하고 반복하여 언급하였고 일부만 제한적으로 부정하고 그 내용을 그의 견해대로 고쳤다.

세 번째는 알따바리가 거부와 동의를 동시에 가진 채 주저하는 것이다. 그의 해석을 보면 알라의 책과 순나에 일치하는 것이라고 하다가 몇 줄 지나면 그가 다른 생각으로 바뀐 것을 언급한다.[16]

---

14 알따바리는 샤피이파에 속하고 그 주석서에는 법적 요소, 문법적 요소(쿠파학파에 속하지만 바쓰라 학파의 의견도 무시하지 않음), 언어학과 수사학적 요소, 그리고 꾸란의 다양한 독경법을 포함시켰다.

15 'āmāl Muḥammad 'Abd al-Raḥmān Rabī', Al-'isrā'īīliyyāt fī Tafsīr al-Ṭabarī, 144.

16 'āmāl Muḥammad 'Abd al-Raḥmān Rabī', Al-'isrā'īīliyyāt fī Tafsīr al-Ṭabarī, 158.

알따바리의 이스라일리야트에 대한 태도는 이븐 카시르[17](1373)에게서도 유사한 내용을 찾아볼 수 있다. 이븐 카시르는 이스라일리야트는 완전한 증거가 못되고 보충적인 증거가 된다고 했다.

첫째, 꾸란 구절에 이스라일리야트의 증거가 있는 것은 사실이라고 하고,
둘째, 꾸란에서 거짓으로 확인된 것이 있다고 하고,
셋째, 이 두 가지 중에서 어느 쪽도 아닌 것이 있다고 했다.[18]

그러나 아말 무함마드 압드 알라흐만 라비으는 "이스라일리야트에 관한 책 서문에는 이스라일리야트의 위험성과 주의가 필요하다는 것 그리고 그것을 인용하는 것을 주의하라고 했는데 그 이유는 이스라일리야트 속에는 이슬람을 해롭게 하고 이슬람의 이미지를 왜곡하는 내용이 들어 있다"고 했다.[19] 아말은 덧붙여서 "(꾸란) 주석서들을 개정하라"고 주문한다.[20] 무슬림들의 생각 속에 들어 있는 개념을 수정하려면 무슬림이 읽는 꾸란 주석서를 개정하고 이스라일리야트에 대적할 필요성이 있다고 한 것이다.

이상과 같은 내용을 정리하면, 이스라일리야트가 사실인가 또는 거짓인가에 대한 관점에서 이스라일리야트는 세 종류로 나뉜다.[21]

---

17 이븐 카시르는 시리아의 샤피이파이고 법학자, 사료 편찬관이었다. 그의 스승 중에 한발리파 이븐 타이미야가 있었다.

18 'āmāl Muḥammad 'Abd al-Raḥmān Rabī', Al-'isrā'iīliyyāt fī Tafsīr al-Ṭabarī, 32.

19 'āmāl Muḥammad 'Abd al-Raḥmān Rabī', Al-'isrā'iīliyyāt fī Tafsīr al-Ṭabarī, 383.

20 'āmāl Muḥammad 'Abd al-Raḥmān Rabī', Al-'isrā'iīliyyāt fī Tafsīr al-Ṭabarī, 382.

21 Maḥmūd Ḥamdī Zaqzūq, Mawsū'ah al-Qur'āniyyah al-Mutakhaṣṣiṣah, 296.

첫째, 이슬람의 샤리아와 일치하는 내용은 무슬림이 믿는다. 예를 들면 알부카리 하디스에는 타우라에 나오는 무함마드에 대한 설명이 꾸란에 나오는 내용과 일치하는 경우가 있다.

둘째, 샤리아와 어긋나는 내용인데 가령, 하늘과 땅을 창조하는데 알라가 피곤했다는 말, 인간의 수많은 죄 때문에 인간의 창조에 대해 알라가 슬퍼했다는 말, 루뜨가 그의 두 딸과 간음하고 자녀를 출산했다는 말, 다우드가 우리야의 부인과 간음하고 임신시킨 일, 하룬이 송아지를 만든 일 등이다.

셋째, 샤리아에 그 증거가 없어서 찬성 또는 반대를 표시하지 않고 침묵하는 것이 있다. 예를 들면 아담이 먹은 나무는 그것이 사실인지 거짓인지 분명히 밝혀 주는 증거가 꾸란에 없다.

위 세 종류의 이스라일리야트 중에서 이슬람 법적 적용 가능성을 살펴보면,

첫 번째 내용은 무슬림들이 전수가 가능하고
두 번째 내용은 전수가 불가능하고
세 번째 내용에 대하여 이븐 타이미야와 무함마드 후세인 알다하비는 전수가 가능하다고 했다.

요약

(1) 이스라일리야트의 단수형은 이스라일리야이다. 이슬람에서 바누 이스라일(무함마드 시기까지 이스라일 후손에 속한 모든 사람)은 야으꿉(이스라일)의 자손을 가리킨다.

(2) 꾸란에서 야후드(유대인)는 야으꿉의 자손으로 태어난 사람을 가리키고 이싸를 믿지 않는 사람이다.

(3) 꾸란에서 나싸라는 이싸를 믿는 사람들을 가리킨다.

(4) 이슬람 학자들은 이스라일리야트의 개념을 확대하여 꾸란 해석과 하디스에 나오는 유대인과 나싸라와 그 밖의 고대 전설을 가리킨다.

(5) 이스라일리야트가 이슬람 문화 영역에 포함된 이유로는 일단의 경전의 백성이 이슬람이 만족스러워서 이슬람으로 입교한 사람이(압둘라 븐 살람, 카압 알아흐바르, 타밈) 있다고 한다.

(6) 꾸란 해석자들은 샤리아의 관점에서 이스라일리야트를 인정하고 지지하거나 또는 거부하거나 또는 주저하는 태도를 갖는다. 현대 무슬림들은 꾸란을 설명하기 위해 이스라일리야트를 사용하는 것이 위험하다고 말한다.

제8장

20세기 꾸란 해석

19세기의 과학과 이성이라는 근대성(모더니티)의 도전으로 인도와 이집트에서 꾸란에 대한 새로운 해석이 등장했다. 순나를 다시 생각하는 새로운 풍조가 곧 꾸란의 의미를 다시 생각하는 결과로 연관되었다. 새로운 해석 방식에서는 꾸란의 고전 주석서들을 너무 과도하게 의존하지 않는 방식을 따랐다. 순나에 대한 이런 비평은 무슬림들이 꾸란을 다소 다르게 해석하는 결과를 낳았다.

새로운 도전적인 환경은 이에 적합한 의미를 꾸란이 열어주는 새로운 접근법을 강하게 요구하고 있었다. 그 결과 현대 꾸란 주석이 하디스 인용들로 너무 과도하게 쌓인 전통적인 방식과 거리를 두어야 했다.

사이드 아흐마드 칸(1817-1898)은 현대 과학적인 발견에 비추어 꾸란에 나온 종교적 도그마를 정당화하고자 했다. 이집트인 무함마드 압두흐(1848-1905)는 순나가 정경화된 사본으로 내려온 자료에 대하여 조심스럽지만, 비평적 태도를 보였다. 그는 꾸란의 특정 구절에서 자히르(낱말 그 자체가 즉시 이해되기 위하여 두 가지 의미 중에서 우세한 의미를 가리킴) 의미와 모순되는 하디스를 논박하였고 이성과 상식과 모순되는 하디스도 논박했다. 물론 사탄적인 요인이나 주술과 관련된 하디스들을 거부했다. 아흐마드 칸과 무함마드 압두흐가 20세기 무슬림 지성인들에게 꾸란의 의미를 다시 열어주는 근거를 마련했다. 이로써 모더니티에 대항하여 무슬림

들이 서로 다른 방식으로 대응하고 있었다.[1]

20세기 초에는 인도에서 아흘 알꾸란이라 불리는 운동이 등장했는데 이들은 아흘 알하디스를 거부하고 꾸란만이 유일하게 권위 있는 신적 출처이고 하디스는 역사적 비평을 받는 보조적인 출처(Source)라고 했다. 이슬람은 오직 꾸란이라는 슬로건을 내걸었다. 이집트에서도 인도에서와 같이 이런 운동이 일어났는데 인도보다는 좀 덜 과격적이었다.

그런데 1941년 자마아테 이슬라미를 창설한 아부 알아알라 알마우두디(1903-1979) 사상의 주된 특징은 이슬람을 이데올로기로 변혁시킨 점이다. 알마우두디가 이집트 무슬림 사이드 꾸뜹이 복사한 정치적 이슬람 운동 즉, 이슬람주의의 발전에 영향을 주었다. 1979년 이란의 시아 혁명의 리더들이 하산 알반나, 사이드 꾸뜹, 알마우두디를 이슬람 국가를 형성하게 하는 것을 열망한 주요 인물로 꼽았다.

무함마드 압두흐와 사이드 아흐마드 칸이 서로 다른 방식으로 마자즈를 통하여 꾸란의 의미를 열어 주는 데 힘썼는데 알마우두디 역시 꾸란의 자히르 의미를 확장했다.[2]

20세기까지 꾸란 해석 역사를 되돌아보면 해석 분야에 관심을 가진 학자들은 해석학자뿐만 아니라 샤리아법 전공자, 심리학 등 다른 학문의 전공자도 꾸란 해석에 관심을 가졌다. 그리고 자말 알딘 알아프가니(1897)와 무함마드 압두흐에 의한 "개혁"(이쓸라흐) 운동

---

1 Nasr Abu Zayd, Reformation of Islamic Thought (Amsterdam: Amsterdam University Press, 2006), 34.

2 Nasr Abu Zayd, Reformation of Islamic Thought, 53.

이 등장했는데 아랍인들은 이것을 근대 부흥의 뿌리 또는 깨어남[3]의 첫 징조라고 했다. 그리고 꾸란 텍스트에 대한 새로운 읽기(qirā'ah jadīdah)가 등장하였고, 꾸란의 의미와 법령을 다시 찾아서 그 시대의 문제를 해결하고자 했다.[4]

그렇다면 중세의 꾸란 주석이 현대 꾸란 주석에 어떤 영향을 주었을까?

간단히 말하면 현대 꾸란 주석이 대부분 내용을 중세의 꾸란 주석에서 직접 이어받았다고 할 수 있다. 꾸란에 대한 현대의 많은 주석서는 현재의 사회, 정치, 윤리적 문제에 관심을 갖고 주석을 했다. 20세기에는 고전주석의 해석적 체계의 중요성을 부인하는 개혁의 소리가 있었던 것도 사실이다. 그러나 현재 꾸란학과 꾸란 주석은 계몽의 파열음을 유지하지 못하고 있다. 현대 꾸란 주석가들이 자신들은 중세 특히 황금기 주석의 전통을 잇는 자격 있는 상속자라는 입장을 갖고 싶어 하기 때문이다.

이집트의 따하 후세인(1889-1973)은 알아즈하르를 떠났고 압두흐의 생각과 같은 노선을 유지했다. 따하 후세인, 아민 알쿨리 그리고 아흐마드 칼라팔라(khalaf allah)는 전통적이고 오랜 세월 정립된 꾸란의 성격과 근본적인 결별을 하기에 이르렀다. 그들은 꾸란이 알라의 말씀이지만 동시에 텍스트라는 것을 강조했다. 따하 후세인은 꾸란 문체가 이으자즈(불모방성)라는 독특한 면을 강조하였지만 반면에 꾸

3 아랍어 '싸흐와'는 잠에서 "깨어남"을 의미하는데 흔히 무슬림 형제단의 운동과 연관 짓기도 한다. 이집트에서는 나세르 대통령이 퇴임하고 사다트 대통령이 취임한 이후의 시기가 첫 번째 싸흐와(이슬람주의 운동)라고 한다.

4 'Abd al-Mun'im Jum'ah Ṣāliḥ, 'ittijāhāt Tafsir al-Qur'ān al-Karīm fī al-'Aṣr al-Ḥadīth fī al-'Irāq (Cairo; Dār al-Salām, 2019), 394.

란은 문학적 장르 그 자체를 형성하고 있다고 했다.

이들에게는 모더니티를 따를 것인가 아니면 이슬람의 전통적인 가치를 고수할 것인가를 두고 긴장이 있었다. 아민 알쿨리(1895-1966)가 카이로대학교 교수로 그의 경력을 시작했을 때 타즈디드(꾸란 해석에서 타즈디드는 옛것을 보존하고 현재의 필요와 동반되게 과거를 재구성하는 것)의 바람이 이집트인의 삶에 스며들고 있었다. 그는 문법, 수사법, 꾸란 해석 그리고 문학에서 타즈디드의 방식을 적용했다.

아민 알쿨리는 문학의 혁신이 타즈디드의 출발이라고 했고 문학의 구조와 기능을 설명하기 위해서는 새로운 문학적 방법론이 필요하다고 했다. 이것은 문법과 수사법의 참신한 학습이 뒤따라와야 하는데 문법과 수사법 연습에서 타즈디드가 필요하다고 했다. 알쿨리는 아랍인은 꾸란을 문학적 텍스트(literary text)로써 평가한 것에 바탕을 두고 이슬람을 받아들인 것이라고 했다. 이 말은 문학적 방법론이 다른 방법론 즉 종교 신학적, 철학적, 윤리적, 수피적, 법적 해석보다 많이 우선되어야 한다는 것이었다.

아흐마드 칼라팔라(1916-1998)와 슈크리 아이야드(1921-1999) 그리고 알쿨리의 부인 아이샤 압드 알라흐만(빈트 알샤띠으, 1913-1998)은 꾸란 주석에서 알쿨리의 문학적 방법론을 적용했다. 그리고 사이드 꾸뜹 역시 이와 비슷하게 적용하였으나 오히려 더 인상적인 문학적 방법론을 가졌다. 칼라팔라는 그의 박사 논문에서 그의 지도교수 알쿨리의 방법론을 따랐으나 알쿨리의 방법론을 더욱 발전시켰다. 그는 꾸란의 이야기들을 연대순으로 재배열했다. 그 결과 해당 꾸란 구절의 본래 컨텍스트 즉 사회적 환경, 무함마드의 감정적인 상태, 이슬람 메시지의 발전에 따라 꾸란을 분석했다. 이런 시도는 꾸란의 이야기가 갖는 본래 의미적 차원 즉 해당 구절이 내려온 시기에 아랍인들이 이해한 의미적 차원을 밝혀 주는 데 도움을 주었다.[5] 그런데 꾸란에 대한 현대의 많은 주석서는 현재의 사회, 정치, 윤리적 문제에 관심을 두고 꾸란을 주석했다.

요약

(1) 사이드 아흐마드 칸과 무함마드 압두흐는 서구 식민지의 정치적 지배를 받고 있을 때 꾸란 해석의 방법에서 이성적인 접근을 채택했다. 무함마드 압두흐는 꾸란 텍스트를 논리적 단위를 형성하는 여러 구절의 묶음으로 나누었다.

(2) 현대 무슬림 사상가 알마우두디는 참 이슬람은 정치적 활동을 포함해야 한다고 역설했는데 그의 꾸란 해석에서는 이슬람 가르침의 정치적인 면을 강조했다.

(3) 딴따위 자우하리는 동료 무슬림들이 이슬람 법보다는 학문들(과학을 포함하여)에 더 관심을 두어야 한다는 것을 확신시키려고 과학적 주석을 했다.

(4) 아민 알쿨리는 꾸란은 아랍어로 된 최고의 책이라고 말하면서 꾸란 해석을 위하여 문학적 방법론을 사용하자고 했다.

(5) 사이드 꾸뜹은 꾸란은 알라의 메시지라고 하였는데 그는 꾸란 해석의 전통과 상대적인 독립을 하고 꾸란을 직접적으로 들으

5 Nasr Abu Zayd, Reformation of Islamic Thought, 56.

면 가끔 원래(original) 의미를 파악할 수 있다고 했다.

(6) 이슬람주의자들은 초기 이슬람의 사회 질서와 제도를 회복하는 것을 적극적으로 힘쓰고 또 초기 무슬림들의 신앙으로 되돌아가면 꾸란 텍스트의 의미에 즉각적인 진입이 가능할 수 있다고 생각했다.

제9장

꾸란 해석의 현대적 성향

대부분 꾸란 해석의 성향이 처음 나타난 것은 그 뿌리를 이슬람력 1세기라고 하지만 실제 해석이 발달한 것은 무슬림 이성의 발달과 더불어 사회의 변화와 발전이 진행된 뒤에 생겨났다. 무슬림들은 이슬람 초기부터 지금까지 꾸란 해석에서 그 의미와 의도를 찾는 데 큰 노력을 기울여 왔다. 그리고 꾸란 해석과 관련된 여러 측면이 포함되었다.

(1) 언어적 측면
(2) 수사적 측면
(3) 문학적 측면
(4) 문법적 측면
(5) 법적 측면
(6) 분파(교리적 분파와 정치적 분파)적 측면
(7) 철학적 측면

꾸란 해석가들은 위와 같은 측면과 그 밖의 다른 측면에서 꾸란을 해석했다. 그러나 이슬람 역사에서 현대의 과학적 부흥 시대가 오기 전에는 꾸란 해석과 주석도 침체기와 정체기를 맞았다. 오스만 튀르크가 아랍 국가에서 떠나가고 아랍어가 널리 사용되면서 학자들은 이런 침체기에서 벗어나려고 꾸란 해석에 관한 연구에 관심을 기울였다. 초기 꾸란 해석의 성향이 그들의 해석적 성향에 많은 영향을 주었으나 그들은 꾸란을 자신들의 관점에서 보려고 했다. 그 결과 이스라일리야트의 이야기를 주석에서 정화하는 작업을 했고 무함마드의 하디스 중에서 "하디스 다이프"(하디스가 하나의 용인 조건이나 하나 이상의 용인 조건을 잃으면 다이프라고 함)가 섞이지 않게 했다. 그리고 그들의 해석이 문학적-사회적인 옷을 입게 되었다.

꾸란 해석의 범위와 목적을 찾으면서, 꾸란과 올바른 과학 이론 간의 조정, 과도함과 온건함의 조정에서 해석이 달라지기도 했다. 무함마드 후세인 알다하비(2005)는 현대의 해석적 성향이 학문의 확대, 분파와 교리의 영향, 견해의 자유에 따른 무신론의 영향을 받았다고 했다. 이집트에서 종교성 장관을 지냈던 그는 현대의 꾸란 해석의 색깔을 다음과 같이 4가지로 정리했다.[1]

(1) 학문적 색깔
(2) 분파(교리적 분파와 정치적 분파)적 색깔
(3) 무신론적 색깔
(4) 사회적 문학적 색깔

이라크에서 태어나 사우디아라비아의 움무 알꾸라대학교에서 석사와 박사 학위를 받고 두바이에서 꾸란학과 꾸란 해석을 가르쳤던

1 Muḥammad Ḥusayn al-Dhahabī, al-Tafsīr wa al-Mufassirūn, Part.2, 434.

이야다 븐 아이윱 알카바이시(2015)는 중세와 현대에 사용되는 꾸란 해석의 방식을 다음 6가지로 구분했다.[2]

(1) 전수에 의한 방식
(2) 이성에 의한 방식
(3) 수피의 이샤리에 의한 방식
(4) 언어적 방식
(5) 현대적 방식
(6) 타즈디드의 방식

전수에 의한 방식은 꾸란, 순나, 싸하바의 말들, 타비인(싸하바의 동무들)의 말을 통하여 해석하는 것이다. 언어적인 방식과 이즈티하드에 의한 방식은 이성적인 방식이라고 할 수 있다. 그리고 꾸란 해석에서 타즈디드는 옛 기초(우쑬)를 그대로 보존하되 의미를 확대하여 꾸란의 의미(개념)를 더 잘 적용하는 것이다.

카이로대학교에서 석사와, 박사 학위를 받은 이라크인 압둘 문임 주므아 쌀리흐(2019)는 그의 책 『현대 이라크에서 꾸란 해석의 성향』에서 이라크의 현대 해석의 성향을 아래와 같이 구분했다.[3]

(1) 법적 해석: 전통적인 방식, 법을 도출하는 방식, 법의 취지와 이유

---

2 ʻIyādah bn ʼAyyub al-Kabaysī, Dirāsāt fī al-Tafsīr wa Manāhijuhu, 16.

3 ʻAbd al-Munʻim Jumʻah Ṣāliḥ, ʼittijāhāt Tafsir al-Qurʼān al-Karīm fī al-ʻAṣr al-Ḥadīth fī al-ʻIrāq, 4-8.

(2) 인도적 해석: 사회적 해석 또는 개혁적 해석으로 불린다. 과학, 이즈티하드, 인권, 정치적인 면, 경제적인 면
(3) 학문적 해석: 점성술, 의학, 우주, 물, 나프스(혼)
(4) 수사적 해석
(5) 언어적 해석

이집트의 경우, 알렉산드리아대학교 교수 알사이드 아흐마드 압둘 갑파르(2017)는 그의 책 『꾸란의 해석: 태생과 단계와 발달』에서 꾸란 해석의 전체 성향을 다음 5가지로 나누었다.[4]

(1) 전수(bil-ma'thūr)에 의한 해석: 순니와 시아의 해석으로 세분되었다.
(2) 이성적 논리(istidlālī)에 의한 해석: 무으타질라의 칼람(종교적 교리에 대한 변증) 해석과 순니 칼람 해석으로 세분된다.
(3) 법적(fiqhī) 해석: 법학자들에 의한 해석들로 세분된다.
(4) 알레고리컬(ramzī) 해석: 철학자들의 해석과 수피 해석이 포함된다.
(5) 수사적(bayānī) 해석: 언어적 구문에 나타난 수사법을 설명하는 해석이다.

사실, 무슬림들의 다양한 해석 성향과 서로 다른 시대와 장소에 따라 여러 주석서가 등장했다. 이집트의 학자 무함마드 라잡 알바유미

4 al-Sayyid 'Aḥmad 'Abd al-Ghaffār, al-Tafsīr al-Qur'ānī, 171.

는 『꾸란의 해석』(2011)이란 책에서 법적 해석, 문법적 해석, 수사적 해석, 주제적 해석, 인도적 해석, 학문적 해석, 정치적 해석, 수피 해석, 문학적 해석 등으로 구분했다.

① 법적 해석: 무슬림들은 꾸란은 인간 문제에 대한 신의 판결을 밝혀 주는 법령이 포함되어 내려왔다고 믿는다. 무함마드는 그것의 일반적 개념을 밝히고 그 법령을 설명했다. 법적 해석은 해석의 역사에서 거의 모든 단계에 활용되고 있었다.[5]

② 문법적 해석: 문법학자들은 꾸란을 해석하는 데 기여했고 꾸란 구절에 대한 이으랍(낱말이 문장 내 위치가 바뀜에 따라 어말의 부호가 변화)을 처음 독립시킨 학자는 꾸뜨룹 아부 알리이고 그 뒤를 이어 아부 하팀 알시지스타니, 알무바리드, 사알랍, 아부 바크르 알안바리 등이 있다.

③ 수사적(바야니) 해석: 꾸란은 가장 나은 논리와 가장 우수한 수사법을 갖고 내려왔다. 이슬람 이전에 수사법이 아랍인들에게 있었고 시간이 흐르면서 학문으로 다듬어졌다. 아부 우바이다의 책 『마자즈 알꾸란』이 있다.

④ 주제적 해석: 꾸란 해석가들이 꾸란을 해석할 때 주제적 해석을 많이 했다. 가령, "꾸란에서의 가족", "꾸란에서의 전쟁", "꾸란에서의 인간" 등이다.

---

5 대표적인 법적 해석으로는 하나피파의 알잣싸쓰(981), 샤피이파 일키야 알하라시(1110), 말리키파 이븐 알아라비(1148), 말리키파 알꾸르뚜비(1272)가 있다.

⑤ 인도적(타우지히) 해석: 꾸란은 인간을 인도해 주고 삶의 제도를 마련해 주는 법이고 인류를 어둠에서 빛으로 끌어낸다고 했다. 꾸란은 무슬림을 안내해 주는 근거가 되므로 안내적 해석 또는 인도적 해석이 등장했다. 사회에서 인간적 가치를 뿌리내리게 하는 윤리적 행동과 사회적 지도에 관심을 가지므로 사회적 해석이라고도 하고 또 부패한 행동을 개인과 사회가 하지 말라는 뜻에서 개혁적 해석이라고도 한다.

⑥ 학문적 해석: 꾸란은 모방할 수 없는 책이라고 한다. 이것은 문학적 특성에만 국한되지 않는다. 알라가 무함마드를 세상에 보낸 것은 이슬람을 믿는 자들에게 그의 소식을 전하고 경고하기 위함이었다. 아랍인이 아닌 사람들은 이런 불모방성의 특징을 깨달아야 한다고 말한다. 그런데 과학적 해석이라고 말하는 사람 중에는 화학, 의학 등 실험과학에만 한정하는 사람이 있는데 꾸란의 불모방성은 심리학, 사회학, 정치, 경제 등 모든 학문의 사실을 담고 있다고 주장한다. 그들 중에는 딴따위 자우하리가 있다.

⑦ 정치적 해석: 꾸란 해석가 중에는 정치적 시각으로 꾸란을 해석한다. 민주주의 주창자들은 이슬람이 민주주의의 시각이 있다고 하고 사회주의자 주창자는 이슬람이 사회주의라고 주장한다. 시아파와 카와리즈의 해석에서 정치적 해석을 볼 수 있다.

⑧ 수피 해석: 수피 해석에는 이론적(나자리) 해석과 암시적(이샤리) 해석이 있다. 이론적 해석은 수피즘의 이론(우쑬)에 근거한 해석인데 철학자들이 참여한 이론적 해석이다. 이샤리 해석은 꾸란 텍스트를

이해하는 데 철학적인 내용에 중점을 두지 않는다. 이샤리[6] 해석은 꾸란 구절을 글자대로 해석하지 않고 일부 숨은 의미로 인도함을 경험한 해석이다.

이샤리 해석자는 개인의 취향 즉 개인적인 이해를 포함시켰다고 무함마드 라잡 알바유미는 말한다.[7] 압둔 나시르 사비트 하미드는 이샤리 해석은 개인 노력의 결과로 이샤라(숨은 지시, 암시)를 얻는 것인데 숨은 이샤라에 따라 꾸란 구절을 해석하는 것[8]이라고 했다. 해당 구절이 담고 있는 다른 의미가 있다고 본 것이다.

⑨ 문학적 해석: 현대에 와서 문화적 해석이 쏟아져 나왔는데 문과대학에서 이슬람 샤리아를 공부하는 것처럼 문학적 연구와 함께 꾸란 해석을 하는 것이다.

지금까지 우리는 꾸란의 해석, 해석의 발달 그리고 해석의 성향('ittijahāt)을 중심으로 살펴보았다. 알사이드 아흐마드 압둘 갑파르[9]는 현대에 와서는 기존의 전수에 의한 해석과 이성에 의한 해석을 모두 포함 시킴으로써 순니의 해석자들이 입증한 토대 위에 확고하게 세워진 해석 방식을 보존하고 언어적, 수사적, 법적인 측면으로 확장된 새로운 성향을 취하고 있다고 했다.

---

6 여기서 이샤라라는 단어를 "가리킴, 싸인(indication), 암시(allusion), 알레고리컬 암시(allegorical allusion), 상징적 암시(symbolic allusion) 등으로 번역하는데 해당 단어를 넘어서는 의미를 가리키는 것을 말한다. 꾸란 구절이 "가리키고"('ashara) 무함마드가 통지해 주고 그의 싸하바가 알았던 의미라고 한다.

7 Muḥammad Rajab al-Bayumi, Al-Mukhtār min al-Tafsīr al-Qur'ānī, part. 2 (Cairo: Majma' al-Buḥūth al-'islāmiyyah, 2011), 61.

8 'Abd al-Nāṣir Thābit Ḥāmid, 'ittijahāt al-Tafsīr fī al-Qarn al-Sābi' al-Hijrī, part.2, 202.

9 'Abd al-Nāṣir Thābit Ḥāmid, 'ittijahāt al-Tafsīr fī al-Qarn al-Sābi' al-Hijrī, part.2, 187.

요약

(1) 아랍 국가마다 꾸란 해석의 성향이 조금 다르지만, 법적 해석, 학문(과학)적 해석, 수사적 해석이 제일 많고 그다음에 인도적 해석 그리고 언어적 해석, 알레고리컬 해석, 문법적 해석, 주제적 해석, 정치적 해석, 수피적 해석, 문학적 해석 등이 있다.

(2) 현대 꾸란 해석의 성향은 전수에 의한 해석을 먼저 하고 나서 그다음에 이성적 해석을 시행하는데 이때 언어와 이즈티하드가 활용된다. 이런 토대 위에다가 해석자마다 각기 독특한 특징 즉 언어적, 법적, 인도적 측면으로 확장되는 새로운 해석 성향이 있다.

(3) 나쓰르 아부 자이드는 꾸란이 텍스트라고 역설하고 텍스트는 인간 이성만을 통해서 해석될 수 있다고 했다.

(4) 꾸란 해석의 새로운 접근 방식은 대부분 아랍 국가 특히 이집트에서 개발되어 왔다. 새로운 접근 방식은 다음과 같이 내용(content)과 해석의 방법을 포함한다.

첫째, 무슬림 사회에서 일어나는 사회적, 정치적, 문화적 변화 때문에 생기는 새로운 질문에 대한 대답을 하려고 할때 꾸란 텍스트의 의미에 대한 새로운 아이디어가 떠오른다.

둘째, 새로운 방법론은 일부는 문학적 연구와 소통 이론의 발달에 따라 비롯된 것이고 일부는 전통적인 해석 방법을 버리는 것에 대한 이론적 정당성과 실질적인 방식이 필요하다는 인식에서 비롯되었다.

제10장

서구의 꾸란학 연구 동향

1. 아랍 무슬림이 본 서구의 꾸란학

2018년 카타르대학교의 샤리아와 이슬람학 대학의 학장 이브라힘 알안싸리는 서구의 꾸란학 연구와 현대적 동향이란 학술대회를 개최하였는데, 이 학술대회에서 서구의 꾸란학의 실상을 비평했다.

아랍과 서구 간의 갈등이 첨예한 현시대에서 서구의 꾸란학에 대한 관심이 높다. 그는 서구 꾸란학의 발전 역사는 대부분이 갈등 문화의 맥락에서 출발했다고 한다. 그는 전통적인 오리엔탈리스트(동양 특히 아랍의 유산에 대해 연구한 서구인) 는 이슬람과 무슬림 문제에 대하여 종교적으로, 문화적으로, 역사적으로 편향되었다고 했다. 그리고 갈등은 의식적이든 의식을 하지 않든 종교적 및 정치적 배경을 갖고 있다고 했다. 이것이 곧 대부분의 오리엔탈리스트의 꾸란학 연구가 왜곡되게 한 주된 원인이 되었다고 했다.

서구중심주의에서 비롯된 우월주의, 그리고 공존과 대화와 다원성의 가치를 부인한 것이 서구가 편향되게 한 이유라고 주장했다. 결국, 대부분 서구의 꾸란학 연구가 서구 세계와 이슬람 세계 간 소통의 다리를 연결하는 데 실패했다고 진단한다. 그래서 다른 사람과의 공존, 다원성과 자유의 가치를 번역하는 데 실패했다는 것이다. 그는 서구의 꾸란 연구 활동은 아랍 세계에서 학술적인 분야에 관심을 두는 무슬림 연구자들의 중론에 가까워지도록 조정하는 것이 필요하다고 했다.

신오리엔탈리스트는 전통적인 오리엔탈리즘을 비평하는데, 신오리엔탈리스트는 서구 인문학의 방법론을 이슬람과 이슬람 세계와 연관된 주제를 연구하는 데 사용했다. 신오리엔탈리스트는 무슬림들이 믿는 꾸란의 원본 여부(originality)와 신의 말씀이라는 것에 물음표를 붙인다.

전통적 오리엔탈리즘과 신 오리엔탈리즘이 여러 서구학자의 꾸란학 연구에 나타나 서구적 이익을 대변하려는 성향을 보인다고 이브라힘 알안싸리는 주장한다. 더구나 서구의 꾸란학 연구가 꾸란 텍스트의 원본 여부의 근간을 의심하는 것에 집중되었다고 했다. 그리고 꾸란을 모으고 기록한 것에 대한 무슬림들의 방법론에 대한 신빙성, 심지어 텍스트의 신빙성까지 서구학자들이 의심하고 있다고 했다.

서구의 꾸란학 연구는 꾸란 텍스트에서 의미적 내용을 살리지 못하고 언어의 규칙에서 자유로운 재해석에 의존했다. 이브라힘 알안싸리는 오리엔탈리스트들이 연구 방법론에 너무 치중한 나머지 방법론적 오류에 빠졌다고 지적했다. 따라서 그는 현대 서구의 꾸란학 연구는 아랍 사회의 관심사를 반영해야 하고, 꾸란 텍스트에 대한 이해에서 서구중심주의에서 벗어나야 한다고 말한다. 서구의 꾸란 연구가 무슬림들이 종교적 권위(마르지이야 디니야)를 두는 것에 관심을 두고 무슬림들의 종교적 유산에 대한 무슬림들의 해석과 조정하는 작업이 필요하다고 했다.

비무슬림 또는 오리엔탈리스트가 꾸란을 연구할 경우, 무슬림들은 오리엔탈리스트들이 이슬람 신앙을 거부하므로 꾸란을 정통하지 못한다고 말한다. 무슬림들의 눈에는 오리엔탈리스트들이 길을 잃어버린 자라고 생각한다. 사실 오리엔탈리스트와 오리엔탈리즘에 대한 아랍 무슬림의 관점은 부정적이고 무슬림의 오리엔탈리즘에 대한 정의가 너무 다양하다. 대체로 아랍 무슬림들은 오리엔탈리즘을 이슬람을 믿는 동양의 언어, 문학, 역사, 교리, 법, 문화에 대한 서구의 연구라고 정의한다.

종교적인 면에서 비무슬림의 이슬람 연구는 왜곡과 의심의 목적에서 비롯된다고 무슬림들이 주장하므로 오리엔탈리스트는 이슬람을 대적하여 그 약점을 찾으려고 하고 기독교인을 보호하고 무슬림을 기독교화하려고 한다고 말한다. 그래서 이슬람과 꾸란의 지위를 폄하하고 그 중요성을 약화시키려고 한다는 것이다.

언어적인 면에서 오리엔탈리즘은 중립적인 연구와 편파적인 연구로 나뉘고 19세기 말과 20세기 초에는 현대 문학적 아랍어를 대중아랍어로 대체하려는 시도가 있었다. 아랍 무슬림의 아랍어 학습은 종교적 목적을 갖기 때문에 20세기 초부터 꾸란을 읽는 데 도움이 되는 현대 문학적 아랍어와 꾸란의 아랍어에 대한 관심을 확대시켜 왔다.

2. 서구학자들이 본 꾸란 연구

서구에서 근대 이전에는 논증적인 연구가 많았다. 그러나 19세기 서구의 꾸란 연구는 비논증적이지만 비평적인 연구가 시도되었다. 1957년 제프리(Arthur Jeffery)는 "꾸란 연구(Qur'ānic Studies)의 현재 위치"란 글에서 학자들이 꾸란의 텍스트에 관한 비평적 연구에서 실패

하고 있다고 했다. 1924년 카이로판 꾸란이 무슬림들 사이에서 공인 본문(textus receptus)이 되어 가고 있고 심지어 유럽의 학자들도 그렇게 받아들이고 있다고 했다.

1924년 카이로판 꾸란은 아씸(ʿĀṣim, 127/745)의 독(경)법을 하프쓰(Ḥafṣ, 180/796)가 전수한 것이었다. 베르그스트레서(Bergsträsser)는 1932년 "카이로에서 꾸란 읽기"(Koranlesung in Kairo)란 글에서 카이로판은 편집자들이 옛 꾸란 자료에 근거하지 않고 비교적 현대 학자들의 자료에 의존하였기 때문에 하프쓰가 전한 텍스트를 만족스럽게 반영하지 못했다고 평가했다.

유럽에서 2001년 이후 꾸란에 대한 의미 번역이 많이 늘어났지만, 번역의 결과는 그렇게 만족스럽지는 않았다. 꾸란에 관한 비평적 연구는 필요하지만, 이슬람과 꾸란을 훼손시키려는 목적에서 꾸란 텍스트에 접근한 것이 무슬림들에게는 파괴적이었다. 꾸란은 거짓과 진실이 섞여 있다고 하거나 심지어 이슬람은 기독교를 반대하려는 음모가 있다고 했다.

중세 때 기독교인들이 행한 꾸란 연구가 모두 이슬람을 공격하려는 것은 아니었다. 꾸란의 메시지를 받아들일 수 없다고 하더라도 꾸란에 대한 이해는 가치가 있다고 생각한 기독교인들이 있었다.

12세기부터 16세기까지 주로 번역을 통해서 알게 된 꾸란에 관한 유럽인의 연구는 언어학적인 이해(Philological reading)가 특징 중 하나였다. 그 당시 성경 연구에 활용되었던 방식대로 텍스트적이고 언어적인 접근을 통하여 꾸란을 이해하려고 했다. 그래서 중세 꾸란 연구자들은 논증적인 의도는 없었다. 16세기 루터는 꾸란 지식이 필수라고 말했는데 무슬림을 개종시키려는 목적이 아니라 기독교인이 이슬람으로 개종하는 것을 막기 위함이라고 했다. 이런 동기에서 1543년 판 꾸란 번역본이 출간되었다. 17세기 마라찌(Ludovico Marracci, 1700)의 노력으로 꾸란의 의미 번역본들이 인쇄되었는데 꾸란의 주장을 반박하는 내용을 담았다. 18세기 유럽에서 성경에 대한 역사적-비평적 연구 방식이 꾸란 연구에도 영향을 주었지만, 이슬람 연구는 활발하지 못했다.

19세기 게이게르(Abraham Geiger)의 책 『유대교와 이슬람』(*Judaism and Islam*)은 관점과 접근에서 새로움을 가져다주었다. 게이게르(Geiger)의 목적은 역사적인 접근을 통하여 유대교(또는 기독교) 안에서 꾸란의 출처들을 찾아보자는 것이었다. 유대인이었던 그는 꾸란이 신의 계시가 아니라 인간이 만든 것이라고 했다. 그는 논증적이고 종교적인 용어보다는 인식론을 이론으로 삼아 꾸란과 성경의 비평적 연구를 시도했다. 1844년에 발간된 베일(Gustav Weil)의 책은 꾸란의 수라를 메카 장과 메디나 장으로 나누고 꾸란을 역사적 컨텍스트에서 고찰했다. 무함마드의 일생 중에서 그가 메카에 있는 시기를 꾸란 구절의 언어적 및 의미적 양상과 서로 관련지어 보았다.

1856년 뇔데케(Theodor Nöldeke)의 논문이 1860년 독일에서 『꾸란의 역사』란 제목으로 출간되었다. 그는 꾸란을 역사적으로 그리고 문학적으로 읽었다. 유럽에서 꾸란에 대한 학술적인 노력의 결과로 플뤼겔(Gustav Flügel)이 편집한 아랍어 꾸란 텍스트가 1834년에 발간되었다. 이상과 같은 출판물은 꾸란의 언어적 연구에 상당한 성취를 가져왔고 역사적 연구의 비평적 도구를 가져오게 했고 이로써 텍스트의 의미를 이해하고자 했다.

1930년대 말 리처드 벨(Richard Bell)은 꾸란에 대한 비평적인 텍스트 연구를 했는데 현재의 꾸란은 주의 깊은 편집과 수정을 거친 결과물이라고 했고 가끔은 꾸란의 말토막이 위치가 이동되었다고 했다.

파즐룰 라흐만은 현대 초기 서구의 꾸란 연구물은 꾸란에 대한 유대교나 기독교의 사상의 영향을 추적해 나가고 꾸란의 연대기적 순서를 재구성하고 꾸란의 내용을 기술하는 연구가 그 특징이었다고 했다.[1]

무함마드 아르쿤(Mohammed Arkoun)은 알수유띠(1505)가 제안한 꾸란에 대한 무슬림의 학문적 연구 전통에 기반을 두었다. 1980년 파즐룰 라흐만의 『꾸란의 주요 주제들』은 근대적 학문 연구를 고려하지만 결국 무슬림의 퍼스펙티브에서 그의 논리를 전개한다.

20세기 후반 완스브러(John Wansbrough)가 그의 책 『꾸란학』(1977)에서 꾸란을 역사적으로 읽는 것을 거부하고 문학적으로 읽었다. 이전의 오리엔탈리스트들이 이데올로기적인 편견을 보이기도 했지만 완스브러는 그렇지 않았다고 한다. 그가 유대교의 패러다임을 꾸란 연구에 사용했는데, 꾸란에서 상호 텍스트적인 의미를 끌어내려는 실험적 연구로 받아들여졌다. 완스브러가 꾸란이 여러 전승을 합성한 책이라는 주장을 파즐룰 라흐만은 반대한다고 했다.[2]

뉴워스(Angeloka Neuwirth)는 완스브러의 영향을 받았다고 하면서도 완스브러의 결론에 반대를 제기하고 꾸란 텍스트를 이해하는 데 새로운 모델을 제안했다. 그는 꾸란을 예전적 자료(liturgical document)로

---

1 Fazlur Rahman, Major Themes of the Qur'ān (Kuala Lumpur: Islamic Book Trust, 1989), xii.

2 Fazlur Rahman, Major Themes of the Qur'ān, xiii.

이해하는 데 기여했다.[3]

이집트인이지만 유럽에 망명하여 유럽의 꾸란 연구에 영향을 끼친 나쓰르 하미드 아부 자이드[4](1943-2010)는 꾸란 해석 방법론을 발전시켜 서구와 이슬람 세계의 관심을 불러일으켰는데 유럽인들은 그의 꾸란 해석을 인간 차원의 해석학(humanistic hermeneutic)이라고 했다.[5]

그의 책 "텍스트의 개념"(Mafhūm al-Naṣṣ, 1990)에서 꾸란을 텍스트라고 말하고 텍스트 분석(textual analysis)이 가능하다고 했다. 그는 고전적인 꾸란학을 비평적으로 다시 읽은 후 꾸란의 언어적이고 역사적인 면을 재점검했다. 나쓰르 하미드 아부 자이드가 2000년 라이덴 대학교(University of Leiden)에서 실시한 강의에서 꾸란의 역사적 차원과 문화적 차원에다가 인간적 차원(human dimension)을 더 추가했다. 그렇게 함으로써 꾸란을 신과 인간의 소통 공간이라고 제안했다.

---

3 Andrew Rippin, "Western Scholarship and the Qur'ān", The Cambridge Companion to the Qur'ān (Cambridge: Cambridge University Press, 2007), 244.

4 카이로대학교 교수를 역임했으나 그의 교수 승급 심사 과정에서 카피르로 낙인 찍혀 배우자와 이혼당하고 네덜란드의 위트레크트(Utrecht) 인문 대학에서 이븐 루쉬드 교수로 임용되었다. 그의 영향력 있는 저술 중에는 『해석에서 이성적 트렌드』(*Al-Ittijāh al-'aqlī fī tafsīr*, 1982)와 『텍스트의 개념』(*Mafhūm al-naṣṣ,* 1990), 그리고 『꾸란의 재고』(*Rethinking the Qur'ān*, 2004)가 있다.

5 Gabriel Said Reynolds(ed), New Perspectives on the Qur'ān; The Qur'ān in its historical context 2 (London: Routledge, 2011), 1.

요약

(1) 무슬림들은 무슬림들이 종교적 권위를 두는 것에 서구가 관심을 가져달라고 한다.

(2) 무슬림들은 오리엔탈리스트나 신 오리엔탈리스트의 꾸란 연구에 부정적인 시각을 갖는다.

(3) 나쓰르 아부 자이드는 꾸란의 역사적 차원과 문화적 차원에다가 인간적 차원을 더 추가했다.

(4) 무슬림의 논증적인 저작은 꾸란에 의존하였고 자주 꾸란의 어휘를 반향시켜 재현하곤 했다. 기독교에 대한 체계적인 반박의 대부분은 무슬림 변증학자들(무타칼리문)이 나섰는데 그들 중에는 무으타질라파도 있었다. 반기독교와 반유대교 논증을 한 이븐 하즘(1064)은 오늘날까지 영향을 끼치고 있다.

(5) 과거 200년 동안 이슬람학에서 꾸란 연구가 주요 관심사였다. 19세기 중반 서구의 꾸란 연구는 독일의 베일과 뇔데케의 영향이 컸다. 20세기 초에는 꾸란 독법의 언어적 측면에 대한 연구가 지배적이었다. 20세기 후반에는 꾸란 연구의 주요 참고 자료는 블라쉐르(Blachere), 제프리(1952), 벨(1953)의 책들이다.

제11장

이상적인 꾸란 해석법

아랍어 문법책이나 종교 서적을 보면 꾸란의 한 구절이 인용된 경우를 자주 보게 된다. 물론 그 구절의 해석을 위하여 꾸란 해석법의 지침을 따랐을 수도 있으나 간혹 글 내용과 상관이 없는 꾸란 구절이 인용된 것을 볼 수 있다.

그렇다면 꾸란을 해석하는 데 이상적인 해석 방법은 무엇일까?

오늘날 아랍인의 꾸란 이해를 여실히 보여 주는 사례를 아랍어 신문에서 읽은 적이 있었다. 나중에 보니 책으로 편찬된 내용인데 저자는 압둘 마지드 이브라힘이고 제목은 『잘못 이해하는 100개 이상의 꾸란 어휘』였다. 이 책 서문에는 아랍 무슬림들에게 생경한 꾸란 어휘들은 꾸란 문맥에서 해석되지 않아 잘못 이해되는 경우가 많다고 했다. 현대 아랍어와 꾸란의 아랍어가 동일해도 아랍어가 1,400여 년을 거치면서 그 의미가 변화된 것이 있다.

여기서 100개 이상의 모든 어휘를 다 소개할 필요는 없고 그중 한국인이 아랍어를 어느 정도 학습했을 때 그가 알고 있는 아랍어 어휘의 의미와는 전혀 다른 의미로 사용된 예들을 몇 개 싣는다(아래 첫 숫자는 장, 둘째 숫자는 절을 가리키고 어휘는 해당 구절에 나오는 꾸란 어휘이다).

2:46 yaẓunnūna: 그들이 확신한다는 뜻이고 그들이 의심한다는 뜻이 아니다.

2:49 yastaḥyūna: 살아 있게 하고의 뜻이고 죽이다 또는 정신적 봉사의 의미가 아니다.

2:193 fitnah: 쿠프르(알라를 안 믿거나 무함마드를 예언자로 안 믿거나 샤리아를 안 지키는 것)를 가리키고 박해, 충돌, 보복, 적대적 행위를 가리키지 않는다.

2:207 yashrī: 팔다의 뜻이고 사다의 뜻이 아니다.

2:233 fiṣālan: 아이가 젖을 떼는 것을 가리키고 이혼의 뜻이 아니다.

3:153 tuṣ'idūna: 너희들을 주의하지 않고 지나갔다는 뜻이고 언덕으로 올라간 것이 아니다.

4:40 dharratin: 작은 개미란 뜻이고 조금 또는 아주 작은 양 혹은 원자(atom)의 의미가 아니다.

4:90 'ilaykumu al-salāma: 그들이 너희들에게 항복하여 복종한다는 뜻이고, 너희로부터 물러나 화평을 원하다 또는 너희에게 평화의 인사를 하다 또는 앗쌀라무 알라이쿰이라고 말하다의 뜻이 아니다.

5:19 fatrat-in: 와히가 중단된 것이므로 '기간'을 가리키는 의미는 아니다.

6:8 lā yunẓarūna: 미루지 않는다, 지체하지 않는다, 연기하지 않는다의 의미이고 보지 않는다의 뜻이 아니다.

6:142 farsh-an: 작은 낙타 또는 양이고 쿠션, 가축의 뜻이 아니다.

7:4 qā'ilūn: 정오의 낮잠이란 뜻이고 말하고 있다의 뜻이 아니다.

7:53 ta'wīlahu: 꾸란에서 약속된 것 또는 그들이 돌아가야 할 극락과 지옥이란 말이므로 부활의 날이고 해석 또는 결과의 의미가

아니다.

7:95 'afaw: 그들의 재산과 자녀들이 많아졌다의 뜻이고 용서나 사면의 뜻이 아니다.

7:130 bi-al-sinīna: 가뭄의 뜻이고 햇수를 가리키는 것이 아니다.

7:176 taḥmil 'alayhi: 그를 쫓아낸다의 의미이고 짐을 싣다의 의미가 아니다.

8:48 jārun lakum: 너희들의 보호자라는 뜻이고 이웃에 살다라는 뜻이 아니다.

12:19 sayyārat-un: 여행하는 그룹이고 자동차의 의미는 아니다.

15:4 kitābun ma'lūm-un: 정해진 시간 또는 기록된 시간 또는 알려진 기간을 가리키고 읽을 책을 가리키지 않는다.

15:36 fa-'anẓirnī: 부활의 날까지 연기해 주세요의 뜻이고 나를 쳐다보라는 뜻이 아니다.

17:7 wa'du al-'akhirah: (이스라엘 자손의) 두 번째 파멸이라는 의미이고 부활의 날을 약속한 것은 아니다.

17:75 ḍi'fa al-hayāti ḍi'fa al-mamāti: 현세의 삶의 고통과 내세의 죽음의 고통이란 뜻이고 약함이나 벌의 의미는 아니다.

20:96 al-rasūli: 지브릴 천사이고 무싸가 아니다.

22:27 rijālan: 걸어서라는 말이고 남자들이란 뜻이 아니다.

40:55 bi-al-'ashiyy: 저녁 시간을 가리키지 않고 오후(아쓰르)를 가리킨다.

43:66 yanẓurūna: 그들이 기다린다의 뜻이고 보다의 뜻이 아니다.

75:5 인간은 그의 남은 인생에서도 방탕한 자로 남고 싶어서 한다는 뜻이고 망하기를 바란다는 뜻이 아니다.

75:7 bariqa al-baṣaru: 빛나다 또는 시야가 현혹 되다의 뜻이 아니고 보이는 것이 두려워 눈을 깜박이지 않았다의 뜻이다.
76:26 sabbiḥhu: 기도하라는 뜻이고 찬미하라는 뜻이 아니다.
100:8 al-khayri: 재물이란 뜻이고 선한 행위의 뜻이 아니다.

현대 아랍어 문법과 어휘의 의미를 잘 안다고 해서 꾸란의 의미를 정확히 파악할 수 있는 것은 아니다. 꾸란 해석의 목적은 꾸란을 "이해"하는 것이다. 그래서 꾸란 학자들은 해석에 대한 지침을 제정해 놓았다.

꾸란 해석자가 알아야 할 이상적인 꾸란 해석 방법은 무엇인가? 꾸란 해석자는 다음 꾸란 해석법의 지침과 절차를 지켜야 한다.[1]

(1) 해석자의 자격 요건을 갖추고 해석자에게 요구되는 학문을 숙지한다.
(2) 해석에서 금지하는 사항을 피한다.
(3) 해석의 안전성을 확보하기 위한 다음과 같은 지침을 반드시 지켜야 한다.

첫째, 전수에 의한 해석의 출처는 우선 먼저 꾸란 자체에서 의미를 찾고 거기서 못 찾으면 순나를 보고 그다음에 싸하바의 말들을 참고하고 그다음에 타비인의 말들을 찾아본다.

1 Maḥmūd Ḥamdī Zaqzūq, Mawsū'ah al-Qur'aniyyah al-Mutakhaṣṣiṣah, 300-301.

둘째, 해석자가 전수에 의한 해석의 출처들에서 의미를 찾지 못하면 자신의 이성을 활용한다. 이성적인 근거는 언어와 이즈티하드를 사용하는 것이다.

셋째, 해당 구절의 선행 문장과의 연관성을 살핀다.

넷째, 해당 구절에 대한 아스밥 알누줄(꾸란이 내려온 원인)을 살핀다.

다섯째, 낱말들로부터 시작하여 낱말들이 언어적으로 형태론적으로 어떤 의미가 있는지 그리고 파생에서의 의미들을 찾는다.

여섯째, 문장의 구문에서 문법적 및 의미적 상관관계를 살피고 어말의 모음 변화를 확인한다. 그리고 수사적인 의미를 파악하기 위하여 수사법의 세 과목(뜻 바꾸기, 상황 따르기, 꾸미기)을 모두 확인해 본다.

일곱째, 다른 의미를 더 보태거나 자체 내용을 줄이지 말고 텍스트가 의도하는 의미를 밝힌다.

여덟째, 언어적 규칙과 법적 규칙의 경계 안에서 교리, 법, 수사법 등과 관련된 문제는 논리적인 규칙에 따라 결론을 끌어낸다.

위와 같이 꾸란 해석의 안전성을 확보하기 위한 지침을 살펴보았는데 이제 꾸란 해석자를 위하여 좀 더 상세하게 설명해 보자.[2]

---

2 Maḥmūd Ḥamdī Zaqzūq, Mawsū'ah al-Qur'aniyyah al-Mutakhaṣṣiṣah, 298-300.

(1) 꾸란 해석에서 우선 해석자가 피해야 할 내용은 아래와 같다.

① 꾸란 해석과 연관되는 모든 학문을 섭렵하지 않고 꾸란 해석을 하는 것을 피한다.

② 알라만이 알고 있는 무타샤비흐(난해한 낱말)의 해석은 피한다.

③ 그릇된 분파가 주도한 해석은 분파의 이념을 꾸란 본래의 의미보다 앞세우므로 그런 해석은 피한다.

④ 결정적인 증거가 없는데 알라의 의도가 이렇다고 주장하는 해석은 피한다.

⑤ 이단적 성향이나 편향된 해석은 피한다.

(2) 꾸란이 내려온 원인들을 고려한다.

(3) 무함마드의 안내와 그의 전기를 꾸란 해석 내용과 일치시킨다.

(4) 우주의 질서, 사회적 관습, 인간의 일반 역사, 아랍의 역사, 꾸란이 내려올 때의 상황을 고려한다.

(5) 꾸란 텍스트에서 어휘들 간의 상호 연관성을 고려한다.

(6) 꾸란이 내려올 때 사용된 의미들을 주목한다.

(7) 원뜻과 마자즈(원뜻이 아닌 다른 의미)의 의미를 고려한다.

(8) 말(kalām)의 문맥을 고려한다.

(9) 말이 전하는 목적을 고려한다.

(10) 법적 의미를 언어적 의미보다 우선한다.

(11) 관습적 의미(사람들이 그들 사회에서 말하고 행동하는 동안 서로 알게 되는 과정에서 얻어진 의미)를 언어적 의미보다 우선한다.

(12) 가능하면 동의어라고 말하지 않는다. 낱말이 홀로 사용될 때와 다른 낱말과 함께 사용될 때 의미가 달라지기 때문이다.

(13) 가능하면 반복이라고 말하는 것을 피한다. 글자가 많아지거나 낱말이 많아지면 의미가 추가되기 때문이다.

(14) 꾸란이 내려온 원인들 그리고 하디스의 전달자 계보가 사실이 아니면 그런 것은 사용하지 않는다.

(15) 이슬람의 샤리아와 일치하지 않는 이스라일리야트는 사용해서는 안 되고 또 사실도 아니고 거짓도 아닌 침묵하는 이스라일리야트는 사용하지 않는다.

(16) 여러 가지 말이 있을 경우 어느 것이 다른 것보다 우세한가를 따져 본다.

(17) 꾸란 그 자체와 무함마드 그리고 대화하는 상대자(문맥에 따라 대화 상대가 무슬림인지 유대인인지 위선자인지 등등)를 고려하지 않고 아랍어 낱말들과 표현들의 자히르(겉으로 보이는 의미)에만 근거하여 서둘러 해석하지 마라.

(18) 꾸란은 예외적인 의미를 지향하지 않고 더 널리 알려지고 더 우세한 의미를 담고 있다.

(19) 꾸란은 꾸란만이 갖는 독특한 개념과 잘 알려진 의미를 갖는다.

(20) 어휘들을 깊이 생각해 보고 불변사, 명사, 동사, 부사 등의 의미에 관심을 둔다. 가령 불변사는 문장에 따라 여러 가지 의미를 갖는다.

(21) 꾸란의 어말 모음의 변화를 고려한다.

(22) 꾸란의 주제와 목적을 알고 있어야 한다. 꾸란의 목적은 사람들을 더 나은 상태와 결과로 인도해 주는 것이다.

(23) 아랍인의 관습을 이해한다.

(24) 한 가지 주제를 가리키는 모든 구절을 꾸란 전체에서 찾아본다.

(25) 어떤 구절과 그 구절의 의미가 이어지는 다른 구절과의 관련성을 고려한다.

(26) 서로 차이가 나는 부분과 서로 일치하지 않는 부분을 파악한다.

(27) 꾸란에서 일반적인 의미로 사용되는 낱말과 문체 그리고 일반적인 의미로 사용되지 않는 낱말과 문체를 파악한다.

요약

(1) 꾸란의 올바른 해석은 꾸란부터 시작하여 순나-싸하바의 말-타비인의 말의 순서로 검토한다.

(2) 전수에 의한 해석의 출처에서 의미를 찾지 못하면 이성에 의존하는데 이성적인 근거는 언어와 이즈티하드를 사용하는 것이다.

(3) 해당 구절의 아스밥 알누줄이 있는지 확인한다.

(4) 언어적 측면을 고려할 경우, 꾸란의 낱말로부터 시작하여 그 낱말의 선행 문장과의 연관성을 살피고 어말 모음의 변화에 관심을 갖고 문법적 및 의미적 상관관계를 살핀다.

제12장

꾸란의 새로운 읽기와 타즈디드의 해석

1. 전통적인 해석의 원리

이 책이 꾸란 해석의 정의와 해석의 기원 및 발달 과정을 살펴본 것은 꾸란 해석이 갖는 독특한 특징을 이해하고자 함이었다. 지금까지 알아본 꾸란 해석의 6가지 원리는 다음과 같다.

1) 꾸란을 꾸란으로 해석한다

낱말을 그와 동일한 낱말로 해석하고 문장도 그렇게 해석하는데 이때 간략과 확장, 제한되지 않는 많은 것을 나타내는 낱말(예, 모두, 누구나)과 한가지 의미를 위해 조어된 낱말(예, 인간, 남자), 어휘적 제한을 받지 않는 낱말과 어휘적 제한을 받는 낱말 등을 살핀다.

2) 꾸란을 순나로 해석한다

순나는 꾸란의 해설이므로 꾸란 해석은 무함마드의 순나를 따른다.

3) 꾸란을 싸하바의 말들을 사용하여 해석한다

꾸란이 아랍어로 내려왔으므로 아랍어를 잘 알아야 하고 꾸란이 내려온 원인들을 확인하고 꾸란 해석에 필요한 학문들을 알아야 한다. 그러나 이스라일리야트를 취할 때 주의하고, 그 시대의 지식에 따라 꾸란 구절을 해석한 것이 있는지 점검한다. 꾸란 구절의 해석에서 여러 가지 해석들이 있을 때 어느 것이 더 나은 지를 찾아낸다.

4) 꾸란을 타비인의 말들로 해석한다

이 원리는 꾸란 학자들 사이에서 합의된 사항은 없지만 많은 학자가 네 번째 원리로 인정했다고 하면서 그들이 서로 일치한 부분에서는 서로 동의했다. 해석학파들이 생겨났는데 메카 해석학파, 메디나 해석학파, 이라크 해석학파가 있었다.

위와 같은 4가지 원리를 전수에 의한 해석(알타프시르 빌마으수르, 알타프시르 빌리와야, 또는 알타프시르 알나끌리)이라고 하고 꾸란 해석에서는 이것이 가장 나은 해석 방법이라고 말한다. 그러나 여기서 외래적인 요소(dakhīl)가 들어가는 것을 주의하라고 한다. 꾸란 해석 속에 옳은 것이 잘못된 것과 섞이기 때문이다. 따라서 이런 내용에 대한 검토와 조사가 필요하다는 것이다. 전수에 의한 해석에서 오는 문제점을 알아야 하는데 특히 이스라일리야트와 관련된 사항을 확인해 봐야 한다. 전수에 의한 대표적인 주석서로는 이븐 자리르 알따바리의 주석서가 있다. 그런데 전수에 의한 해석을 해도 해당 말토막의 의미를 찾지 못하면 언어와 이즈티하드를 사용한다.

5) 꾸란이 내려온 언어로 해석한다

이런 경우 그 언어를 잘 알아야 하는데, 통사론, 형태론, 수사법, 파싸하, 문체를 이해하는 것이 필요하고 이와 연관된 시, 산문 등을 살펴본다. 그리고 언어가 갖는 아스라르(이해하기 어렵고 보이지 않는 것)와 용례를 알아야 한다. 해석자가 알아야 할 언어적 규칙으로는 인칭대명사, 전치와 후치, 동의어, 생략 등이 있다.

6) 꾸란을 견해와 이즈티하드(법학자가 시행하는 법적 해석이나 법적 판결)로 해석한다

이것은 정해진 조건과 20여 개의 과목(언어학, 수사법, 법 이론, 취소론 등)에 해당하는 학문을 섭렵해야 한다. 그런데 견해에 의한 해석을 허용하는 증거를 논할 때 학자마다 의견 차이가 있다. 견해(이성)에 의한 해석은 해석자가 앞서 제시한 조건들을 충족했을 때만 가능하다. 이들 조건 중에서 가장 중요한 것으로는 언어학, 형태론, 통사론, 수사법, 독경법, 종교의 이론적 원리, 법 이론, 꾸란이 내려온 원인, 취소하는 구절과 취소당하는 구절 등이 있다.

꾸란 해석에서 철학적 성향, 문학적 성향, 학문(과학)적 성향은 견해에 의한 해석에 해당된다. 견해에 의한 해석을 한 주석서가 많은데 파크르 알딘 알라지(606 AH)의 주석서, 알바이다위 주석서(685 혹은 691 AH), 알잘랄라인(잘랄 알딘 알수유띠[911 AH]와 잘랄 알딘 알마할리[864 AH])의 주석서 등이 있다. 위와 같이 6가지 원리(우쑬)에 따라 꾸란을 해석하는 것이 전통적인 꾸란 해석이다.

2. 새로운 읽기와 타즈디드 해석

그러나 꾸란 학자들은 전수에 의한 해석, 이성에 의한 해석 이외에 현대적인 해석을 추가한다. 꾸란 구절에 대한 새로운 읽기는 새로운 이해(fahm)를 가리킨다. 타즈디드는 옛것을 보존하고 오래된 것을 복구하며 더 나은 것을 소개하는 것을 가리킨다.[1] 꾸란 해석에서 옛 기초(우쑬)들을 보존하고 새로운 것에서 유익을 얻고 현대 시대의 사람들에게 꾸란 개념을 더 낫게 적용한다는 것이다.

그런데 꾸란에 대한 새로운 읽기는 양날을 가진 무기와 같다고 이야다 븐 아이윱 알카바이시는 말한다. 사람들이 타즈디드라는 이름으로 꾸란과 종교를 해롭게 하는 경우가 있다는 것이다. 움마의 살라프에 닻을 내리지 않고 타즈디드를 주장하면 그런 해석은 온 힘을 다해 막아야 한다고 했다. 꾸란 해석에서 불변해야 할 내용에서 벗어나 정해진 지침을 떠난 새로운 꾸란 읽기는 연구와 비평과 토론의 테이블 위에 놓아야 한다고 했다. 그런데 학자들이 규정한 지침에 따른 꾸란의 새로운 읽기는 유익하다고 한다.[2]

이상과 같이, 꾸란의 새로운 읽기는 두 가지 의미가 있다. 하나는 꾸란을 이해하는 데 사상을 자유롭게 하고 그 해석에서 현대 이론을 사용하지만, 과거 사람들의 이해를 되돌아가 확인하지 않고 규정된 지침에도 얽매이지 않는 것이다. 이런 방식은 이슬람을 타격하는 무

---

1 Muḥammad Mukhtār Jum‘ah, al-Mawsū‘ah al-’Islāmiyyah al-‘āmmah, 336.

2 ‘Iyadah bn ’Ayyub al-Kabaysi, al-Qirā’ah al-Jadīdah lili-Qur‘ān al-Karīm Bayna al-Manhaj al-ṣaḥīḥ wa-l’inḥirāf al-musi’, Majallah al-Sharī‘ah wa-al-Dirāsāt al-islāmiyyah, No. 11, 2008, 94.

기가 되고 이슬람의 특징을 지워버리게 한다.

다른 하나는 꾸란을 새롭게 이해하고자 할 때, 이전의 이해에 바탕을 두고 생각하고 규정된 지침에 따라 시작하되 절대 바뀌지 않는 내용이 보존된다.[3] 이런 방식은 이성을 작동시키지만 알라가 허락한 인식의 수단을 쓰므로 무슬림들이 받아들인다. 바스따미(Basṭāmī)는 다음 세 가지 의미가 결합된 것이 타즈디드라고 했다.[4]

(1) 처음에는 새로운 것이었지만 사람들에게 잘 알려지게 되고
(2) 시간이 지나면서 이것이 옛것이 되고
(3) 이것은 옛것이 되기 전 과거에 있었던 상태로 되돌아가는 것이다.

여기서 과거의 상태는 꾸란 해석에서 전수에 의한 해석을 가리킨다. 그런데 타즈디드라고 불리는 것과 전수에 의한 해석 간의 관계를 살펴보면 이들 관계가 하나가 아니고 아래와 같이 두 가지로 나뉜다. 하나는 건물 해체와 취소이고 다른 하나는 추가와 건물 짓기이다.

1) 건물 해체와 취소의 관계

전수에 의한 해석이 올바른데도 전수에 의한 해석을 피하는 경우이다. 해석자가 바라던 타즈디드나 이성과 일치하지 않아서 전수에 의한

---

3 ‘Iyādah bn ’Ayyub al-Kabaysī, al-Qirā’ah al-Jadīdah lili-Qur‘ān al-Karīm Bayna al-Manhaj al-ṣaḥīḥ wa-l’inḥirāf al-musi’, 64.

4 ‘Iyādah bn ’Ayyub al-Kabaysī, Dirāsāt fī al-Tafsīr wa Manāhijuhu, 405-406.

해석을 버리는 것이다. 이런 방식은 이성주의 학파의 주창자들이 앞장을 섰던 방식이고 이슬람 움마(공동체)에 악의 문을 열어준 것과 같다고 한다. 이들은 어떠한 규칙이나 한계를 지키지 않기 때문에 전수에 의한 해석을 고려하지 않았고, 또 꾸란 언어의 규칙을 따르지 않았다. 그리고 이들은 법 이론가와 꾸란 학자들이 세운 규정도 지키지 않고 오로지 꾸란을 "새롭게 읽자"고 했다.

2) 건물 짓기와 추가의 관계

전수에 의한 해석을 취하자는 사람들은 전수에 의한 해석이 존재한다는 것에 먼저 관심을 갖고 이것이 고착이나 멈춤이라고 생각하지 않고 그것으로부터 해석이 시작한다는 것과 그 위에 건물을 짓는다고 생각한다. 아흐마드 알샤르까위('Aḥmad al-sharqāwī)는 전수에 의한 해석이 해석에서 기본이 되는 바탕이라고 생각하고 모든 해석자가 거기서부터 시작해야 한다고 말한다.[5] 그렇다면 타즈디드는 과거의 해석 과정이 고착되고 무기력할지라도 과거의 해석자의 노력을 버리지 않고 현재의 필요와 동반되게 그리고 현재의 환경과 화합되게 과거를 재구성하는 것이다.[6]

옛 해석과 현재의 해석 과정에서 해석자가 바뀌었고 각 해석은 해석자 자신의 영향이 묻어나고 세기를 거치면서 사람마다 지식(마으리파)이 다르다는 전제에서 타즈디드가 비롯된 것이다. 따라서 타즈디

5 'Iyādah bn 'Ayyub al-Kabaysī, Dirāsāt fī al-Tafsīr wa Manāhijuhu, 411.

6 Ḥasan Kāẓim 'Asad, Tafsīr al-Qur'ān al-Karīm 'ishkāliyyah al-Manhaj, Majallah 'abhāth Misan, Vol.11 , No. 21, 2015, 56.

드는 반드시 필요하지만 해석자는 꾸란 해석의 원리와 규칙에서 벗어나지 않도록 정해진 지침을 따라야 한다고 말한다.

3. 타즈디드에 대한 두 학자의 논란

2014년 IS 등장 이후 이집트의 알아즈하르는 종교적 담론(연설, 설교, 강연 등)을 타즈디드[7] 하자(Tajdīd al-khiṭāb al-dīnī)고 했다. 그런데 2020년 1월 28일 카이로에서 열린 알아즈하르 학술회의에서 알아즈하르의 쉐이크 아흐마드 알따입과 카이로대학교 총장 무함마드 우스만 알코쉬트[8] 간의 토론이 이집트인과 아랍 무슬림들의 찬반 논쟁을 불러일으켰다.

2020년 카이로에서 열린 학술회의에 "이슬람 사상의 타즈디드"(tajdīd)란 주제로 41개 아랍과 이슬람 국가에서 온 학자들이 참석했다. 이 모임에서 알코쉬트 총장은 '종교학의 부활'이란 말을 거부하고 '종교학의 발달'(Taṭwīr 'ulūm al-dīn)이 필요하다고 주장했다. 종교학은 신적 와히(waḥy 'ilāhī)를 이해하려는 것이 목적이고 꾸란 해석, 이슬람 율법, 하디스학은 인간이 창안한 인문학('ulūm 'insāniyyah)이라고 하면서 인간은 그것을 발전시킬 수 있고 새로운 학문으로 교체시킬 수 있다고 말했다.

---

7 우리말에서 경신과 갱신은 이미 있던 것을 고쳐 새롭게 한다는 의미를 공통적으로 갖는다. 그런데 아랍어 타즈디드는 학문에 따라 그 정의가 다소 다르므로 이 책의 말미에 있는 용어 해설을 참조하시오.

8 알코쉬트는 카이로대학교 총장이고, 종교 철학의 교수를 역임했고 아흐마드 알따입은 알아즈하르 쉐이크이지만, 교리와 철학과 교수를 지냈고 전 이집트 공화국 무프티였고 전 알아즈하르대학교 총장이었다.

그는 전통적인 종교적 담론이 아닌 새로운 종교적 담론을 세워야 한다고 주장했다. 알아즈하르가 주장하는 종교적인 담론의 타즈디드는 옛 건물을 보수하는 것과 같으므로 이제 새로운 종교적 시대의 문을 열고자 한다면 새로운 언어나 어휘나 새로운 개념을 가지고 종교적 담론을 타즈디드(Renewal) 해야 한다고 했다.

알코쉬트의 강연에 대한 논평 시간에 알아즈하르의 쉐이크 알따입은 유산(turāth)을 고려하지 않는 것은 타즈디드가 아니라고 답했다. 그런데 이에 대한 답변에서 알코쉬트는 유산을 파괴하고 없애자는 것이 아니라 유산을 취할 때 여러 가지 중요한 요건을 고려하자는 것이라고 말했다. 알아즈하르의 쉐이크 알따입은 타즈디드는 "옛 건물에서 떠나는 것이 아니라 옛 건물을 수리하는 것"이라고 했고 아랍의 일부 언론인, 학자, 문화인들은 타즈디드는 "옛 기초(foundation)를 포기하는 것이고 그 기초를 흔들어 놓는 것"이라고 이해했다.

4. 꾸란 해석과 추후 연구 주제

지금까지 꾸란 해석의 기원과 발달과 현대적 성향을 무슬림의 관점에서 살펴보았는데 이제는 전술한 내용들 중에서 비평적 연구가 더 필요한 주제들을 열거해 본다.

첫째, 꾸란은 구전으로 내려와서 글로 기록되었는데 우스만 칼리파 시절의 무쓰하프는 아랍어 글자가 당시에 15개밖에 없었다.

그렇다면 15개 아랍어 글자로 28개의 음가를 어떻게 정확히 기록했을까?

아랍어 자음이나 모음이 하나만 바뀌어도 뜻이 달라지는데 자음의 구별점과 모음의 구별점 그리고 아랍어 정서법이 확정되기 전에 무함마드가 전했던 그 꾸란이 온전하게 전달되었을까?

둘째, 아랍어 문법과 언어학의 태동이 꾸란 해석의 역사에서 중요한 전환점을 갖게 했다. 아랍어 문법학자들은 구전에 의한 꾸란 독경에 능통했다. 꾸란 해석은 아랍어 문법 태동의 첫 디딤돌이 되었다. 꾸란 해석을 위해서는 아랍어에 대한 폭넓은 지식을 요구했다. 꾸란 해석을 위하여 하디스와 아랍 시를 참조했다. 그런데 이슬람 정복 사업의 확장으로 압바시야조에서는 비아랍인이 아랍어 문법에 맞지 않는 말을 했고 심지어 아랍인들의 꾸란 독법에서도 문법적 오류가 생겨났다.

그렇다면 꾸란 해석에서 꾸란 독법이 중요한 과목인데 과거 무슬림들이 얼마나 정확히 꾸란을 읽어낼 수 있었을까?

오늘날 동부 아랍의 무슬림들이 읽고 있는 꾸란은 1924년 이집트에서 고등학교 학생들의 요구에 따라 꾸란 본문에 여러 발음표기를 해 두었는데 이런 표기가 우스만 칼리파가 소장한 무쓰하프와 동일하지 않다는 서구학자 주장의 진위는 무엇인가?

셋째, 꾸란 해석의 가치와 중요성은 원래 꾸란 해석과 관련된 출처의 가치와 중요성으로 되돌아간다. 꾸란 해석의 원리에서 권장된 것은 전수에 의한 해석을 먼저 반드시 거쳐야 한다고 말한다. 심지어 타즈디드 해석에서도 전수에 의한 해석을 먼저 확인하라고 강조하고 있다. 그런데 메카 수라와 메디나 수라의 구분 그리고 취소론은 모두 무함마드 이후에 확정된 학문이다.

꾸란, 순나, 싸하바의 말들, 타비인의 말들을 활용하는 것이 가장 나은 해석 방법이라고 하므로 오늘날 아랍 무슬림들 중에서 이런 선조들의 말이 기록된 자료를 조회하고 이해할 수 있는 능력을 갖춘 사람이 얼마나 될까?

더구나 꾸란학, 하디스학과 이슬람 법학에 사용된 전문 어휘들의 의미와 개념은 보통의 무슬림들이 전공하지 않고서는 알 수 없기 때문에 대부분의 아랍 무슬림들 특히 비아랍어권 무슬림들은 꾸란을 정확히 해석하기가 몹시 어렵다고 봐야 한다.

넷째, 새로운 주석 방식에서는 꾸란의 고전 주석서들을 너무 과도하게 의존하지 않는 방식을 따르는 사람들이 있었다. 오늘날 새로운 도전적인 환경에 적합한 의미를 꾸란이 열어주는 새로운 접근법을 강하게 요구받고 있다. 그런데 타즈디드는 옛것을 보존하고 오래된 것을 복구하며 현재의 필요와 동반되게 재구성하는 것을 가리킨다. 꾸란 해석에서 옛 원리(우쑬)들을 보존하고 새로운 것에서 유익을 얻고 현대 시대의 사람들에게 꾸란 개념을 더 낫게 적용하자는 것이다.

그렇다면 꾸란의 티즈디드에 대해 왜 무슬림들이 찬반양론으로 나뉘고 있는가?

다섯째, 꾸란 해석은 와히(알라가 무함마드에게 법적 규정을 알려 줌)와 인간의 이성 간의 활동이다. 인간마다 그의 이성적, 과학적, 문화적 배경이 다르고 인간의 삶은 시대에 따라 늘 바뀌므로 이런 차이가 꾸란 해석에 반영되어왔다. 무슬림이 살아가는 당시의 문화 그리고 해석자의 언어 능력과 학문의 정도에 따라 해석은 달라질 수밖에 없다.

다시 말하면 어느 특정 이념이나 분파와 법학파에 따라서 다양한 꾸란 해석들이 무슬림들에게 존재해 왔다. 순니 아쉬아리, 순니 살라피, 이바디, 자이디, 자히리, 시아, 수피 등의 꾸란 주석서들이 있고 주석마다 서로 달라진 부분들이 보인다.

그렇다면 오늘날 무슬림들은 대부분 꾸란 주석서를 의존하는데 주석자마다 다르게 해석하는 주석의 내용을 뛰어넘는 방법은 무엇인가?

오늘날 꾸란 주석서가 너무 많은데 일부 주석자는 기존의 주석서 두세 가지를 읽고서 일부 어휘를 바꿔서 자신의 이름으로 주석서를 내는 경우가 있다.

여섯째, 오늘날 아랍 무슬림들은 대중아랍어(방언)를 국어로 사용하고 꾸란의 아랍어를 잘 모른다. 꾸란을 해석하기 위해서 여러 학문을 습득해야 하는데 모든 무슬림이 그렇게 할 수가 없다는 것이 현실이다.

그렇다면 꾸란이 내려온 당시의 아랍인 수신자들이 이해했던 상황적인 사회-문화 의미를 지금 무슬림들이 알고 있다고 할 수 있는가?

무슬림들 중에 꾸란을 암기하지만 그 뜻을 깨닫지 못하는 무슬림들이 많다.

요약

(1) 꾸란 해석의 타즈디드는 옛것을 보존하고 오래된 것을 복구하며 더 나은 것을 소개하는 것을 가리킨다.

(2) 타즈디드는 꾸란 해석의 원리와 규칙에서 벗어나지 않도록 정해진 지침을 따라야 한다.

(3) 오늘날 많은 이슬람 국가에서는 국가와 종교기관이 서로 협조하여 그들의 마음에 안 드는 꾸란 해석 방식의 변화를 억압하고 있다. 또한, 오늘날 이슬람주의자들은 그들과 다른 방식으로 꾸란을 해석하는 것을 강력히 거부한다. 그렇다면 꾸란 해석은 어디로 가야 하는가?

제13장

꾸란의 '나싸라'는 기독교인들인가?

사도행전 11:26에서 시리아의 안디옥교회에서 처음으로 기독교인 (Χριστιανος)이라고 불렸다. 그리스도와 함께 연합한 사람이란 뜻이다.[1] 그런데 꾸란에는 '그리스도인'(masīḥiyyun)이란 말이 안 나온다. 그 대신에 Naṣrānī(나쓰라니) 또는 Naṣārā(나싸라)라는 단어가 나온다. 아랍어 성경에서는 Naṣārā가 한번 나오고 사도행전 11:26에서 기독교인이란 말은 Masīḥiyyun이라고 한다. 아랍어 성경에서 그리스도라는 단어가 마시흐이므로 이 단어의 형용사가 Masīḥiyy이고 여기에 복수형이 첨가되면 Masīḥiyyun이 된다.

그런데 한국의 무슬림이나 기독교 관련 책들이 꾸란에 나오는 나싸라를 '기독교인들'이라고 번역해서 사용해 왔다. 『의미 번역 꾸란 한국어』의 5:82에서 "우리가 기독교인들이요"라고 하고 *Encountering the World of Islam*에서는 꾸란 5:82의 일부 구절을 언급하면서 "We are Christians"(Nazarenes)이라고 한다.[2]

꾸란의 영어 의미 번역에서는 주로 Christian으로 번역된[3] 아랍어 단어는 Naṣrānī(나쓰라니, 복수형은 나싸라)이다. 그렇다면 꾸란에 나오는 나

---

1 Frederick William Danker, A Greek-English Lexicon of the New Testament and other Early Christian Literature (Chicago: The University of Chicago Press, 1979), 1090.

2 Keith E. Swartley, Encountering The World of Islam (Littleton: Authentic Media, 2005), 518.

3 M. A. S. The Qur'an (Oxford: Oxford University Press, 2005), 39.

쓰라니(또는 나싸라)는 오늘날 기독교인들이 생각하는 '기독교인(들)'을 가리키는가?

1. 사전에서 어휘적 의미

셈족 문화 사전에서 나싸라(Nazarenes)는 나사렛 예수와 연관되는 초대 기독교인들을 가리키는 말이라고 했다. 그런데 첫 5세기 동안 이 단어는 두 가지 다른 용도로 사용되었다. 하나는 유대인들이 나씨리(nāṣirī, 나사렛)란 단어를 예수 그리스도를 가리킬 때 사용하고 나싸라(naṣārā)는 그를 믿는 자들을 가리키는 말이었다. 그리고 Nazarenes 이란 단어를 유대 기독교인 집단을 가리키는 말로 사용했다. 나싸라(Nazarenes)는 구약과 신약의 가르침에 얽매여 있었고 할례와 세례를 고수하고 토요일과 일요일을 거룩한 날로 삼았다.[4] 나싸라가 유대 기독교인이라고 규정한 것이다. 그런데 신약의 그리스어-영어 사전에서는 유대 기독교인(jewish Christians)을 Nazaraei, Nazareni라고 불렀다고 한다.[5] 만일 이 말이 맞다면 Nazareni가 아랍어 나쓰라니(naṣrānī)의 발음과 비슷하므로 서로 상관성이 있는지는 연구해 보아야 한다.

아랍어 사전에서 나쓰라니의 복수형이 나싸라이고 알마시흐의 종교를 따르는 사람이라고 한다. 그리고 나쓰라니야는 알마시흐 이싸

---

4 Henry S. Abboudi, Mu'jam al-Ḥaḍārāt as-Sāmiyya (Tarabulus:Gross Press, 1988), 848.

5 Frederick William Danker, A Greek-English Lexicon of the New Testament and other Early Christian Literature, 665.

의 종교라고 했다.[6] 셈족 문화 사전과 현대 무슬림이 저술한 아랍어 사전과의 차이는 전자가 예수 그리스도라고 했으나 후자는 알마시흐 이싸라고 한 것이다. 아랍어 성경에서 예수를 야수아라고 하고 아랍어 꾸란에서는 야수아라는 말은 없고 이싸라는 말이 나오는데 야수아와 이싸가 함축된 의미에서 서로 동일하지 않다.

그런데 유대교 사전에서는 꾸란의 나쓰라니(Naṣrāni)가 마을의 이름 나사렛(Nazareth)에 기원을 둔다[7]고 말하고 기독교인이라고 번역했다.

그렇다면 꾸란의 나싸라는 오직 나사렛이란 의미만을 갖고 있을까?

꾸란에는 15번 나쓰라니의 복수형 나싸라가 나오고 대부분의 주석자와 아랍 지리학자들은 나쓰라니를 지명 나사렛과 연관 지었다. 이집트 아랍어 학술원이 발간한 꾸란 어휘 사전에서는 나싸라는 알마시흐를 따르는 자들이고 단수형은 나쓰라니이고 이 단어는 나씨라(nāṣirah, 나사렛)에 기원한다고 말하고 나씨라는 샴(시리아, 레바논, 요르단 북부와 일부 팔레스타인 지역)의 지역이고 알마시흐의 연고지라고 한다.[8]

이런 설명을 보면 현대 무슬림들은 이싸를 나사렛 동네의 알마시흐라고 풀이한 것이다. 그런데 알마시흐는 꾸란에서 이싸의 다른 칭호이고 성경에서 말하는 '기름 부음을 받은 자'의 뜻이 아니다.

---

6 'Aḥmad Mukhtar 'Umar, Mu'jam al-lughah al-'Arabiyyah al-Mu'āṣirah, Part.3 (Cairo: 'Alām al-kutub. 2008), 2221.

7 Encyclopeadia Judaica Vol.15 (Detroit: Thomson Gale, 2007), 41.

8 Mu'jam 'alfāẓ al-Qur'ān al-Karīm (Cairo: Majma' al-lughah al-'arabiyyah, 1990), 1104.

블로이스(François de Blois)는 이슬람 이전의 언어 즉 아람어나 시리얀어 등에서 나싸라의 어원을 찾아보았다. 그는 "꾸란의 나싸라는 가톨릭 기독교인이 아니고 유대 기독교인(Nazoraean; Jewish Christians)일 가능성이 있다"고 했다. 이것은 꾸란이 나싸라에 대하여 말하고 있는 것과 그것의 아랍어 명칭에 근거한 것이라고 한다.[9]

나싸라라는 말과 지리적 명칭을 블로이스와의 가설(7세기 특정 그룹의 기독교인들이 살고 있었다는 주장)과 결합하면 또 다른 가능성을 제안할 수 있는데 나싸라의 단수형이 나쓰라니(naṣrānī)이고 이 발음은 메디나에서 가깝게 신앙의 공동체 안에서 살고 있던 나즈란(najrān)의 기독교인을 가리킬 수 있다는 것이다. 이들은 무함마드와 신학적 이슈를 토론한 기독교인들이었다. 그래서 블로이스는 나싸라가 수 세기 동안 중앙 아라비아에 살던 특정 그룹의 기독교인을 가리킨다고 말한다.[10]

그런데 시드니 그리피스(Sidney Griffith)는 이런 지리적 명칭 이외에 다른 설명을 덧붙인다. 후기 무슬림 주석자들이 나싸라와 안싸르('anṣār, 돕는 자)가 어원(n,ṣ,r)이 같은 점에 착안하여 나싸라의 의미가 '돕는 자들'이란 뜻이라고 한다. 꾸란 3:52에서 "누가 나를 돕는 자들('anṣār)이냐? 우리가 안싸르 알라이다"라는 구절에서 안싸르 알라(알라의 종교를 돕는 데 함께하는 자)라는 말이 있다는 것과 연관 지었다.

9 Shahram Nahidi, Towards a New Qur'ānic Hermeneutics Based on Historico-Critical and Intertextual Approaches: The Case of the Crucifixion of Jesus in the Tafāsīr of Eight Muslim Exegetes, 77.

10 Shahram Nahidi, Towards a New Qur'ānic Hermeneutics Based on Historico-Critical and Intertextual Approaches: The Case of the Crucifixion of Jesus in the Tafāsīr of Eight Muslim Exegetes, 78.

시드니 그리피스는 나싸라는 Nazoreans/Nazarenes를 의미하는 시리안어 나쓰라예(nāṣrāyê)에서 차용된 그리스어 nazoraioi의 의미를 반영한다고 보았다.[11]

그런데 왜 꾸란에서 기독교인(masīḥiyyun)을 기독교인이라고 부르지 않고 나싸라라고 했을까?

시드니 그리피스는 수사적, 변증적, 논증적인 의도가 있는 것 같다고 말하고 꾸란에서 그들은 성서의 백성에 포함되고 이들은 믿는 자(무슬림)에게 가장 가깝다(꾸란 5:82)는 꾸란 구절을 인용한다.

그런데 이슬람 사전에서는 꾸란에 나오는 나씨라(nazarenes)는 주후 50년경 안디옥에서 처음으로 쓰인 '기독교인'이란 말보다 먼저 사용된 단어였다고 한다. 기독교의 사도시대 이후부터 이슬람 이전까지의 자료들에서 "Nazarenes"과 "Christians" 용어 간의 구별이 있었다는 것이다.[12] 전자는 하나님의 아들로서 메시아를 인정한 유대 기독교 교파에게 적용된 말이었는데 그들은 모든 면에서 유대인처럼 행동했다. 그런데 꾸란에 나오는 나싸라는 유대 기독교인의 함의를 갖고 있는 것 같지 않다.[13]

시드니 그리피스 역시 꾸란에 나오는 나싸라는 통칭적이고 일반적인(General) 기독교인을 의미하는데 네스토리아파(나사띠라, 이라크 남부), 말키파(말카니야, 레바논), 야곱파(야으꾸비야, 시리아)를 가리키는 단어라고 말한다.[14]

---

11 Sidney Griffith, The Bible in Arabic, 31.

12 Encyclopeadia of Islam Vol.7 (Leiden: Brill, 1993), 970.

13 Encyclopeadia of Islam Vol.7, 970.

14 Encyclopeadia of Islam Vol.7, 970.

7세기의 1/3 시기에 네스토리아파, 말키파, 야곱파가 아라비아로 이동한 것이 증가하고 있었다. 꾸란에 대한 교리적 비판을 하는 수사적 목적을 간과한 학자들은 꾸란에 나오는 나싸라는 nazarenes이나 에비온파나 유대 기독교 공동체라고 주장했으나 이것은 관련된 꾸란 구절을 잘못 이해하거나 잘못 해석한 것이라고 시드니 그리피스는 주장한다. 그것은 꾸란 텍스트가 기독교 교리에 대한 논증적 수사(polemical rhetoric)를 주목하지 못한 해석적 오류라고 한다.[15]

아라비아반도에는 유대인과 나싸라 공동체가 살고 있었다. 유대인들은 카이바르(Khaybar)의 북부 도시와 메디나에 살고 있었고 무함마드는 622년 메카에서 메디나로 이주했다. 나싸라는 나즈란 마을과 다른 지역에 정착하여 살고 있었는데 타글립(Taghlib) 부족은 처음에 아라비아반도의 나즈드 지역에 살다가 나중에 유프라테스강 하류 지역으로 이주했다.[16] 그런데 메디간(Medigan)은 나싸라가 무함마드 시대의 모든 기독교인(또는 유대인)을 가리키지 않고 시리얀(syriac; 기독교 아람어 사용자)의 특정 그룹(specific group)과 또는 이집트 고행자(ascetics)를 가리킨다고 한다.[17]

시드니 그리피스는 꾸란의 나싸라는 어원적으로 시리안어(syriac)의 '나쓰라예'에 기원한다고 주장하고 그 단어는 사도행전 24:5에 나온다고 했다. 이 단어는 아랍어 성경에서 나싸라라고 하고 비기독교인

15 Sidney H. Griffith, The Bible in Arabic, 36.

16 Encyclopeadia Judaica Vol.10, 88.

17 Shahram Nahidi, Towards a New Qur'ānic Hermeneutics Based on Historico-Critical and Intertextual Approaches: The Case of the Crucifixion of Jesus in the Tafāsīr of Eight Muslim Exegetes, 74.

들(non-Christian adversaries)이 기독교인들을 지칭한 단어라고 한다.[18]

2. 사도행전에서 나사렛

사도행전 24:5에 나오는 그리스어 낱말 '나사렛'은 Ναζωραίων(나조라이온)이고, 영어로는 Nazarene이라고 번역되고 아랍어 성경에서는 나쓰라니(Naṣrānī)라고 한다. 사도행전 24:5에 기록된 나조라이온은 기독교인을 지칭할 때 사용된 말이었다. 가톨릭 아랍교회가 사용하는 아랍어 성경에서는 이 단어가 기독교인을 경멸할 때 사용되었다고 말한다.[19]

아랍 국가에서 아랍어 성경이 19세기에 새로이 번역되었기 때문에 당시 아랍인 기독교인들은 무슬림들이 사용하는 용어를 성경에 사용하는 것을 꺼렸음에도 아랍어 꾸란에 사용된 '나싸라'를 가톨릭 아랍어 성경에 사용된 것은 의외였다. 사실, 아랍의 정교회와 개신교가 사용하는 알부스타니 밴다이크(al-Bustani Vandyck) 아랍어 성경 번역본에서는 이 단어를 al-Nāṣiriyyīna(나씨리이나, 나사렛 사람들)이라고 번역하여 꾸란에 사용된 나싸라를 사용하지 않았다.

알부스타니 밴다이크 아랍어 성경에서는 사도행전 11:26(masīḥiyy-īna), 사도행전 26:28(masīḥiyy-an), 베드로전서 4:16(masīḥiyy-in)에서 '마시히'라는 말을 사용한다. 그런데 아랍 무슬림을 겨냥하

18 Sidney Griffith, "al-Naṣārā in the Qur'an, A Hermeneutical Reflection", New Perspectives on the Qur'an (London: Routledge, 2011), 314.

19 al-Kitāb al-Muqaddas, al-'Ahd al-Jadīd (Beirut: Dār al-Mashriq, 2014), 442.

고 번역한 아랍어 성경(al-kitāb al-sharīf)에서는 사도행전 11:26에서 masīḥiyy-īna(복수 소유격), 사도행전 26:28에서 masīḥiyy-an(단수 목적격), 베드로 전서 4:16에서는 masīḥiyy-un(단수 주격)이라고 한다.

그런데 또 다른 책에서는 사도행전 11:26에서 왜 마시히인(masīḥiyy-īna)이라고 했는지 그 이유를 설명한 각주에서 마시히(masīḥiyy)는 알마시흐를 믿는 사람을 지칭하고 안디옥에서 알마시흐(al-masīḥ)를 믿는 사람들 중에 비유대교 배경의 사람들이 많았기 때문이라고 한다. 그래서 이들은 유대인과 구별되었지만 그때까지 알마시흐를 믿는 사람들은 유대교 교파 중 하나로 간주되었다.[20]

그렇다면 꾸란의 나싸라는 유대 기독교인을 가리키는 것일까?

무슬림을 대상으로 성경을 아랍어로 번역한 책(al-kitāb al-sharīf)에서 사도행전 24:5에는 나싸라라는 말이 나오는데 나싸라는 알마시흐를 따르는 자를 가리키는 옛말이라고 하고 갈릴리의 나사렛에 기원하는 말이라고 한다.[21]

무슬림을 겨냥하여 복음서 일부를 새로 번역한 책에서는 안디옥에는 믿는 공동체가 유대인과 다른 인종이 섞여 있었는데 이싸는 새로운 종교를 부르짖지 않았고 사람들에게 종교나 인종과 상관없이 그를 따르라고 했다고 말한다.[22] 안디옥에서 우상 숭배자들은 이싸를 따르는 사람들을 마시히윤이라고 불렀고 믿는 자들은 이 말이 그들을 모욕하는 것으로 여겨서 자신들을 도(따리끄)를 따르는 자('atbā'u

---

20 al-Hādī Jaṭlāwī, al-Ma'nā al-Ṣaḥīḥ li-'injīl al-Masīḥ (Beirut: Dār al-Farabi, 2008), 464.

21 al-Hādī Jaṭlāwī, al-Ma'nā al-Ṣaḥīḥ li-'injīl al-Masīḥ, 531.

22 al-Hādī Jaṭlāwī, al-Ma'nā al-Ṣaḥīḥ li-'injīl al-Masīḥ, 530.

al-Ṭarīq), 우리의 주 이싸를 따르는 자('atbā'u sayyidinā 'īsā) 또는 형제들('ikhwah)이라고 부르는 것을 선호했다.[23]

일부 아랍 기독교인은 마시히 또는 마시히윤이란 단어가 초대 교회에서는 경멸하는 의미로 사용되었다고 주장한다. 물론 오늘날 아랍교회가 존재하는 이라크, 시리아, 레바논, 요르단, 팔레스타인, 이집트, 수단에서는 기독교인들은 마시히(단수형) 또는 마시히윤(복수형)이라고 하지만 아랍 기독교인들 스스로가 이 단어가 경멸의 의미를 담고 있다고 생각하지 않는다.

3. 꾸란 구절에 쓰인 나싸라의 의미

아흘 알키탑('ahl al-Kitāb, 꾸란 3:67)이란 말이 꾸란에 54번 나오는데 유대인과 나쓰라니를 가리킨다. 아흘 알인질(al-'injīl)은 한 번 나오는데(꾸란 5:47) 여기서 인질을 '복음'으로 번역하는 경우가 있지만 이 구절에서 '인질'은 기독교인들이 생각하는 복음이 아니다.[24]

그렇다면 꾸란의 나쓰라니가 우리가 생각하는 기독교인인가?

만일 기독교인이 아니라면 꾸란에서 나쓰라니는 누구를 가리키는가?

무함마드(570-632)가 시리아 지역으로 장사를 하러 간 기록은 무함마드 전기에 잘 나타나 있다. 그리고 아라비아의 주변 지역에 기독교인들이 살았다는 것은 잘 알려진 사실이다. 기독교인들은 팔레스타

23 al-Hādī Jaṭlāwī, al-Ma'nā al-Ṣaḥīḥ li-'injīl al-Masīḥ, 530.

24 Jane Dammen McAuliffe, The Qur'ān (Leiden: Brill, 2002), 310.

인, 시리아 사막 지역, 이라크의 남부, 아라비아의 남부, 홍해의 해안 지역, 에티오피아에 살았다. 심지어 메카와 그 주변 지역과 나즈란에도 기독교인들이 살았다.[25]

무함마드가 나쓰라니라고 한 사람들이 누구를 가리키는 것일까?

꾸란의 구절에 나오는 나쓰라니를 찾아 그 개념을 살펴 보자.

꾸란 3:67 이브라힘은 야후디(유대인)도 아니고 나쓰라니도 아니고 알라에게 복종하는 하니프였으며 무쉬리크(다신 숭배자)가 아니었다.

만일 야후디를 유대인이라고 번역하면 이브라힘은 유대인이 아니고 나쓰라니도 아니고 하니프라고 했다. 하니프는 '당시 유행하던 종교를 버리고 자신의 종교로 기울어진 사람'을 가리키는데 일반적으로 알라로 마음이 기울어진 사람을 가리킨다.

꾸란 2:111a 그들이 말했다. "잔나에는 후드(유대인)나 나싸라만이 들어갈 수 있다."

후드와 나싸라가 그들의 종교를 통해서만 잔나(동산)에 들어갈 수 있다고 했다는 것이다.

꾸란 2:135a 그들이 말했다. "후드나 나싸라가 돼라. 너희들이 인도함을 받을 것이다."

사우디아라비아에서 발간한 『쉬운 주석』에서는 유대인들이 무함마드의 움마(공동체)에게 말했다고 한다.

"유대교와 나싸라의 종교로 입교하라. 그러면 너희들이 인도함을 받는다. 그러나 무함마드야! 너는 그들에게 말하라. 우리 모두가 이브라힘의 밀라(올바른 교리)를 따를 때 인도함이 있다고 말하라."

---

25 Jane Dammen McAuliffe, The Qur'ān, 307.

꾸란 2:140a 너희들은 이브라힘과 이스마일과 이스학과 야으꿉과 지파들이 후드(유대인)나 나싸라였다고 말하느냐?

무슬림 주석자들은 이브라힘, 이스마일, 이스학, 야으꿉이 예언자들이라고 하는데 이들이 후드나 나싸라의 종교를 따랐다고 하는 것은 거짓이라고 말한다.

꾸란 5:14a 그들 중에는 우리가 나싸라라고 말하는 사람이 있다.

꾸란 5:82 믿는 사람들(무슬림들)에게 가장 적대적인 사람들이 야후드이고 그들이 무쉬리크라는 것을 발견할 것이고 믿는 사람들에게 가장 우호적인 사람들은 '우리는 나싸라이다'고 말하는 사람들이 있다는 것을 발견할 것이다. 그것은 그들 중에 학식 있는 자와 고행하는 자[26]들이고 거만하지 않기 때문이다.

꾸란 2:62 믿는 자들과 유대교를 믿는 사람들과 나싸라와 싸비인들, 알라를 믿고 마지막 날을 믿고 선행을 행한 자는 알라에게서 상이 있고 그들에게는 두려움이 없고 슬퍼하지도 않을 것이다. 한 마디로 알라를 믿고 종말을 믿고 선행을 행하는 자가 되라는 것으로 주석한다.

꾸란 2:113a 유대인들이 나싸라에게 아무것도 없다고 말하고 나싸라는 유대인에게 아무것도 없다고 말했다.

꾸란 2:120a 네가 그들의 밀라(거짓 교리)를 따르지 않는 한 유대인과 나싸라가 너를 기뻐하지 않을 것이다.

여기서 우리가 주목할 것은 꾸란 2:135에서 이브라힘의 밀라라는 말이 나오는데 그런 경우 밀라는 진리의 교리이고 옳은 종교라는 의

---

26 현대 아랍어에서는 사제와 수도사라는 뜻이다(M. A. S. The Qur'an, 75).

미인데 반하여, 유대인과 나싸라와 관련된 밀라는 거짓 교리라고 해석한다.[27]

꾸란 5:18a 유대인과 나싸라가 우리는 알라의 자녀이고 그가 사랑하는 자라고 말했다.

꾸란 5:51a 믿는 자들아! 야후드와 나싸라를 조력자로 삼지 마라. 그들은 서로서로 돕는 자이다.

꾸란 5:69 믿는 자들과 유대교를 믿는 사람들과 싸비인들과 나싸라, 알라와 마지막 날을 믿고 선행을 행한 자들에게는 두려움이 없고 슬퍼하지도 않을 것이다.

꾸란 9:30a 야후드는 우자이르가 알라의 아들이라고 말했고 나싸라는 알마시흐가 알라의 아들이라고 했다.

꾸란 22:17 믿는 자들과 유대교를 믿는 사람들과 싸비인들(manichaeans)과 나싸라와 마주스(조로아스터교, zoroatrians), 알라를 믿고 마지막 날을 믿고 선행을 행한 자는 알라에게서 상이 있고 그들에게는 두려움이 없고 슬퍼하지도 않을 것이다.

꾸란에 나오는 나싸라와 연관된 구절들을 살펴보니 당시에 무함마드가 듣고 보았던 나싸라는 자신들을 알라의 자녀라고 하고 나싸라만이 잔나에 들어간다고 말한다. 또 믿는 자(무슬림)에게 우호적이란 구절을 통하여 당시 나싸라라고 하는 사람들 중에 이슬람에 입교한 사람이 있었던 것으로 보인다.

---

27 Mawsū'ah al-'aqīdah al-'Islāmiyyah (Cairo: Wizārah al-'Awqāf. 2010), 1051-1052.

4. 꾸란에서 정체성으로서 '나싸라'와 현대 무슬림의 해석

기독교 교리와 신행을 비판하는 꾸란 구절(꾸란 5:14)에서는 나싸라가 그들의 종교의 한계를 부당하게 어겨서 길을 잃어버린 것을 비평한다. 꾸란에서 나싸라에게 가장 심하게 비판한 구절로는 4:171이 있는데 "알라를 셋이라고 말하지 말라"고 하면서 일신론을 강력하게 주장한다. 그리고 꾸란은 이싸를 알라의 아들이라고 말하는 것을 논증적으로 비판한다.

오늘날 무슬림들은 나쓰라니야는 알마시흐 이싸 이븐 마르얌의 움마에 속한 종교라고 한다. 꾸란에서 알마시흐 이싸는 알라의 라술(메신저)이다. 하디스에서 이싸는 알라의 압드(복종하는 자)이고 알라의 라술이며 무함마드도 알라의 압드이고 알라의 라술이라고 한다.[28] 그리고 나싸라는 알마시흐 이싸 이븐 마르얌의 움마라고 한다. 그런데 알마시흐 이싸 이븐 마르얌을 따르는 사람들을 나싸라라고 부르게 한 이유는 여러 가지 견해가 있다.[29] 꾸란 주석가 알따바리는 세 가지 가능성을 제언한다.[30]

첫째, 나싸라는 '돕다'(naṣara)라는 말에서 파생한다. 유대인 환경에서 믿는 자들이 생기면서 믿는 자들 간에 서로 도왔기 때문에 나싸

---

28 Muhammad Muhsin Khan, Summarized Ṣaḥiḥ al-Bukhāri (Riyadh: Maktaba Dar-us-salam, 1994), 677.

29 al-Mawsū'ah al-'Islāmiyyah al-'Ammāh (Cairo: Wizārah al-'Awqāf, 2015), 1400.

30 Shahram Nahidi, Towards a New Qur'ānic Hermeneutics Based on Historico-Critical and Intertextual Approaches: The Case of the Crucifixion of Jesus in the Tafāsīr of Eight Muslim Exegetes, 75.

라라고 불렀다.

둘째, 꾸란 3:52와 61:14에서는 이싸의 중요한 대중적(public) 다아와를 표현한 것인데 이싸가 안싸르 일라 알라(알라를 돕는 자)를 찾고 있었을 때 그의 제자들이 긍정적으로 답변한다.

셋째, 알마시흐가 살았던 고향이 나씨라(nāṣirah, 나사렛)이므로 나씨리(나사렛 사람, 나사렛 출신)라고 불렀다. 그러므로 나싸라는 알마시흐의 전도로 믿음을 갖게 되고 그를 돕고 그의 전도로 그를 따랐던 사람들이라고 했다.

그 근거를 보면, 꾸란 3:52에서 이싸가 그들 중에 쿠프르(kufr, 알라를 안 믿음)를 느꼈을 때 '알라를 전하는 데 나를 도울 자가 누구냐'고 물으니 제자들이 '우리가 알라를 전하는 데 도울 자입니다'라고 답했다고 한다.

꾸란에서 유대교의 잘못된 교리를 올바르게 고치기 위하여 이싸가 왔지만 결국 이싸의 추종자들이 거짓 교리를 진짜 교리에다가 추가해버렸다고 말한다,[31] 꾸란 9:30에서 "나싸라가 '알마시흐는 알라의 아들이다'고 말했다. 이것이 그들의 입으로 한 말이다. 이전에 알라를 믿지 않았던 사람들의 말과 닮아 있다"고 한다. 나싸라가 알마시흐 이싸를 따르는 사람들이었지만 나싸라의 교리가 잘못되었다는 것을 비판하는 구절이다. 오늘날 무슬림들은 나싸라는 4복음서, 사도행전, 그리고 바울, 베드로, 요한 등이 기록한 서신들을 전한다고 했

31 al-Mawsū'ah al-'Islāmiyyah al-'Ammāh (Cairo: Wizārah al-'Awqāf, 2015), 1400.

다.[32] 다시 말하면 꾸란의 나싸라와 오늘날 무슬림들이 생각하는 나싸라가 그 의미에서 달라진 점을 구별하고 있다. 꾸란에서 이싸는 유대인들이 타우히드(알라는 한 분이다)에서 벗어나 다신 숭배를 한 것과 신에 대한 교리의 개념을 바로 고쳐주기 위해 세상에 왔다는 것이다. 이싸의 메시지는 타우히드이므로 교리이지 샤리아(이슬람 율법)가 아니라고 주장한다. 그리고 이싸가 그의 제자들을 불렀을 때 그들의 임무를 이스라엘 자손에게만 한정시켰다고 주장한다.

> 그때 이싸 이븐 마르얌이 말했다. '이스라엘 자손들아! 나는 너희들에게 보낸 알라의 라술이 확실하고 나는 나보다 먼저 보낸 타우라(알라가 무싸에게 내려 준 책)를 확증하고 내 뒤에 오는 아흐마드라는 이름을 가진 라술이 온다'는 것을 전하려고 왔다(꾸란 61:6).

꾸란은 나싸라가 이싸의 메시지를 전하는 것은 이스라엘 자손에게만 한정하라고 한 것이다. 무슬림들은 꾸란에 나오는 '아흐마드'를 무함마드의 다른 이름이라고 해석한다. 무슬림들은 위 구절을 보고 기독교 안에 무함마드가 예언자로 온다는 것을 언급한 내용이 있다고 주장한다. 유대교, 기독교, 이슬람교 셋이 이 세상에 있지만 유대교와 기독교에서 잘못된 교리를 이슬람이 마지막으로 바로 고쳤다는 것이다.[33] 이싸의 할 일 중에는 아흐마드라는 이름을 가진 라술이 있다는 것을 알리는 것이라고 함으로써 꾸란의 이싸와 성경의 예수의

32 al-Mawsū'ah al-'Islāmiyyah al-'Ammāh, 1400.

33 al-Mawsū'ah al-'Islāmiyyah al-'Ammāh, 1401.

사역이 다르다는 것을 분명히 보여 준다.

꾸란의 이싸는 하나님의 아들이 아니고 인간 피조물이다. 그는 꾸란에서 십자가에 못 박히지 않았고 죽지도 않았으며 하늘로 올리어 갔다. 이싸는 성육신하지 않았고 인간과 본성이 같다.[34]

다시 말하면 꾸란의 이싸는 성경의 예수가 아니다. 성경의 예수는 이스라엘 사람만을 전도하기 위해서 온 것이 아니라 모든 인류가 구원받기 위해 이 세상에 오신 분이기 때문이다.

꾸란은 종교 간의 대화를 촉구하는 구절이 있다.

> 말하라. 경전의 백성들아! 우리와 너희들 사이의 공통적인 말(kalimah sawā')에 함께하자. 우리는 오직 알라를 예배하고 우리는 어떤 것도 그의 파트너로 삼지 않는다(꾸란 3:64a).

이 구절은 경전의 백성(유대인과 나싸라)과 무함마드의 움마 사이에 공통적인 말에 함께하자는 것이다. 그것은 알라만을 예배하고 다신 숭배를 하지 말자는 것이다. 그런데 오늘날 무슬림들은 기독교인들이 알라 이외에 예수를 하나님의 아들이라고 한 것은 다신 숭배라고 비난한다. 더구나 무슬림들은 기독교인들을 카피르(알라를 믿지 않음)라고 한다. 그런데 경전의 백성과 무함마드의 움마 사이에 공통적인 사항에서는 서로 다르지 않다고 한다. 그 증거로 꾸란 42:13에서 이렇게 말한다.

34 공일주, 『아랍의 종교』(서울: 세창출판사, 2013), 314.

> 누흐에게 명하고 우리가 너에게 와히를 내려 주었고 이브라힘, 무싸, 이싸에게 명령했던 그 종교를 너희들에게 제정해 주었다(꾸란 42:13).

무슬림들은 누흐, 이브라힘, 무싸, 이싸, 무함마드를 울루 알아즘('ulū al-'azm)이라고 부르는데 이들은 다른 사람보다 더 인내하고 다아와(포교)를 위해 애쓴 사람들이라고 한다. 오늘날 무슬림들은 이싸는 이슬람 포교를 하는 무슬림이라고 한다. 위 구절에 대한 현대 주석을 보면 결국 무함마드에게 내려 준 이슬람이 참 종교라는 것이다.

현대 무슬림 중 알리 알쌀라비(2020)는 이싸가 본명이고 알마시흐는 칭호(laqab)이고 이븐 마르얌은 형용(ṣifah)하는 말이라고 한다. 그는 마시히(masīḥī)와 나쓰라니(Naṣrānī, 나싸라의 단수형) 간에 핵심적인 차이가 존재한다고 말하고 그 차이에 대하여 다음과 같이 설명한다.[35] 첫째, 나싸라가 이싸의 진짜 추종자들이라고 보는 사람들이 있다고 한다. 꾸란 3:45에 근거하여 알마시흐의 다아와에 응답하는 자는 나싸라라는 것이다. 나싸라가 이싸를 돕는 자들이므로 실제 추종자라는 것이다. 둘째, 알마시히윤이 알마시흐의 실제 추종자라고 말하는 사람들이 있다. 그것은 마시히윤이란 말이 마시흐라는 낱말에서 파생되었기 때문이다. 일부 아랍 목회자들은 나싸라는 원래 유대인의 한 집단이었는데 이들이 이싸를 믿은 후 붙은 명칭이라고 한다.

---

35 https://islamonline.net/35871, 2021년 1월 2일 접속.

5. 무슬림 정체성을 갖고 이싸 알마시흐를 따르는 자

나싸라라는 단어가 사용된 꾸란 본문 그리고 이들 낱말이 가리키는 나싸라의 정체성을 살펴보고 아랍어 성경에서 이 단어가 어떤 개념으로 사용되었는지를 고찰했다.

첫째, 꾸란에 나오는 나싸라는 꾸란 2장, 5장, 9장, 22장에 나오는데 이 장들은 모두 메디나 장이다. 꾸란에서 나싸라는 변증하는 내용에서 사용되었다. 나싸라는 교리에서 빗나갔다고 꾸란은 말한다.

둘째, 꾸란에 사용된 나싸라의 일부 개념은 종교적인 구분과 상관이 없고, 그들끼리 서로 돕는 자라는 말로 해석되었다.

셋째, 꾸란에 나오는 나싸라는 유대인이란 말과 함께 사용되었다.

꾸란에서는 유대교, 기독교, 이슬람교 셋이 이 세상에 있지만 유대교와 기독교에서 잘못된 교리를 이슬람이 마지막으로 바로 고쳤다고 한다. 나싸라가 이싸의 메시지를 전할 대상은 이스라엘 자손에게만 한정한다.

꾸란에 나오는 나쓰라니 또는 나싸라는 '(야곱파, 네스토리아파, 말키파) 기독교인' 또는 네스토리아파 기독교인 또는 중앙 아라비아에 살던 특정 그룹의 기독교인 또는 나즈란의 기독교인 또는 유대 기독교인 중 어느 것이 정확한지는 아직도 불분명하다.

그래서 꾸란을 영어로 번역한 의미 번역서[36]를 보면 나싸라를 Christians으로 번역한 사람은 M.A.S. Abdel Haleem(2005), A.J. Droge(2013), A. J. Arberry(1963), W. Montgomery Watt(1967) 그리고 이집트 종교성이 발간한 al-Montakhab(2017) 등이 있고, 나싸라를 Nazarethans라고 번역한 사람은 Rashid Said Kassab(1987)이었다. 하지만 한 가지 분명한 것은 나싸라를 기독교인이라고 번역하기에 부적절하다는 것이다.

아랍 기독교인들은 자신들을 마시히 또는 마시히윤이라고 부르고 있어서 아랍 기독교 공동체와 아랍 무슬림 공동체가 서로 다른 용어 즉 마시히윤과 나싸라를 각각 사용한다는 것을 알 수 있다. 특히 무슬림들 중에서 살라피는 아랍 기독교인을 마시히라고 부르지 않고 꾸란에 나오는 단어를 사용하여 나쓰라니(복수형, 나싸라)라고 불렀다. 꾸란을 글자 그대로 믿는 살라피는 알라가 꾸란에서 그들을 나싸라라고 불렀기 때문에 기독교인을 마시히라고 불러서는 안 된다는 것이다.[37]

오늘날 아랍 무슬림들은 나싸라가 이싸의 진짜 추종자라고 주장하고 또는 마시히윤이 알마시흐의 진짜 추종자라고 한다. 그리고 꾸란에서는 나싸라 그리고 아랍어 성경에서는 마시히윤이라고 하므로 이를 고려하여 꾸란의 나싸라는 "(알마시흐) 이싸의 종교를 따르는 자" 또는 "나사렛 사람" 또는 원음 그대로 "나싸라"라고 적는다.

---

36 의미 번역에 대해서는 공일주, "꾸란 주석의 형성과 의미 번역", 「ACTS 신학저널」 제40집, 2019, 235-278 참조.

37 공일주, 『한국의 이슬람』(서울: CLC, 2018), 129.

요약

(1) 아랍어 성경에서는 나싸라(Naṣārā)가 한번 나오고 사도행전 11:26에서 기독교인이란 말은 마시히윤(Masīḥiyy-un)이라고 한다.

(2) 꾸란에서 '나싸라'는 알마시흐를 따르는 자(아트바아 알마시흐)이다.

(3) 꾸란에 나오는 나싸라는 꾸란 2, 5, 9, 22장에 나오는데 이들 장들은 모두 메디나 장이다. 꾸란에서 나싸라(이싸 알마시흐를 따르는 자)는 변증하는 내용에서 사용되었다. 나싸라는 교리에서 빗나갔다고 꾸란은 말한다.

(4) 아랍 기독교인들은 "마시히윤"(마시히)이란 단어가 경멸적 단어라고 생각하지 않으나 무슬림이 아랍 기독교인들을 나싸라(나쓰라니)라고 칭할 때 기독교인을 경멸하는 것으로 받아들인다.

제14장

꾸란의 '자히르'는 성경의 'literal'인가?

1. 꾸란에서 자히르와 바띤

꾸란에는 단 한 가지 의미를 갖는 낱말이 있지만 두 가지 이상의 의미를 갖는 낱말들도 있다. 그리고 낱말에 따라 자히르(apparent), 바띤(hidden), 이샤라(sign, allusion) 등의 의미가 있다. 언어적으로, 아랍어 자히르(ẓāhir)는 햇빛 아래에서 밝히 드러나므로 바띤(bāṭin)의 반대말이고 힘과 드러남과 분명함을 나타낸다. 바띤은 모든 것의 속에 들어 있는 것을 가리키고 숨어 있다는 것을 가리킨다.

아랍어 자히르와 바띤은 알라의 99가지 이름들에 나온다. 아랍어 사전에서 동사 자하라(ẓahara)는 '숨김 다음에 나타나다', '존재가 드러나 보이다' 등의 뜻이고 자히르는 '숨김 다음에 나타난, 감각들로 인지하는'이란 뜻이다.[1] 그리고 동사 바따나는 숨다 또는 숨긴다의 의미이고 자하라의 반대말이다. 바띤은 '숨은'의 뜻이다.[2]

---

1 'Aḥmad Mukhtār 'Umar, Mu'jam al-Lughah al-'Arabiyyah al-Mu'aṣirah, Part.2 (Cairo: 'ālam al-kutub, 2008), 1443.

2 'Aḥmad Mukhtār 'Umar, Mu'jam al-Lughah al-'Arabiyyah al-Mu'aṣirah, part. 1, 220.

꾸란에 사용된 자히르는 '보이는'(꾸란 34:18), '외부 면'(꾸란 30:7), '명백한'(꾸란 31:20), '바깥 면'(꾸란 57:13), '두드러진'(꾸란 40:29), '승리하는'(꾸란 61:14)의 뜻이다.[3] 자히르는 아랍어-영어 사전에서, 명백한(manifest), 쉽게 이해되는(obvious), 분명히 보이는(apparent)이란 뜻인데 아랍어-아랍어 사전에서는 모호함이 없고 숨김이 없는, 설명이 필요 없이 명백한(jaliyy) 의미라고 할 수 있다.

꾸란에서 바띤은 '숨은, 비밀의'(꾸란 6:120), 내적인(꾸란 57:13), (알라의 속성으로서) 숨은, 내적인(꾸란 57:3), 내적, 숨긴, 숨은(꾸란 31:20)의 뜻을 갖는다.[4] 그러므로 알바띤은 숨은 뜻 또는 내적 의미라고 할 수 있다. 이상과 같이 꾸란에서 자히르(apparent, 명백한)와 바띤(명백하지 않은)은 꾸란의 외적(outer) 그리고 내적(inner) 차원의 표현이라고 할 수 있다. 꾸란 구절에는 보이는 명백한 의미(자히르)와 숨은 의미(바띤)가 있다. 그렇다면 무슬림 학자들이 자히르와 바띤에 대하여 어떻게 뜻풀이를 했는지 살펴보자.

첫째, 자히르는 모호함이 없이 명백한 것이므로 인간으로 말하면 밖으로 보이는 지체(사지)이고 바띤은 모호하고 숨은 것으로 인간으로 말하면 심장을 가리킨다. 알뚜시는 꾸란에는 자히르와 바띤이 있고 무함마드의 하디스에도 자히르와 바띤이 있고 이슬람에도 자히르와 바띤이 있다고 했다.

---

3 Elsaid M. Badawi & Muhammad Abdel Haleem, Arabic-English Dictionary of Qur'anic Usage (Brill, 2008), 592.

4 Elsaid M. Badawi & Muhammad Abdel Haleem, Arabic-English Dictionary of Qur'anic Usage, 98-99.

둘째, 아랍어 자히르(보이는, 드러난)와 바띤(숨긴, 숨은)은 감각으로 드러나는 자히르와 이성으로 이해하는 바띤이 있다.

셋째, 일부 학자는 자히르는 literal이라고 하고 바띤은 알레고리컬(allegorical)이라고 번역한다. 성경 해석에서는 literal의 반대가 수사적이란 말과 대조가 된다.

2. 법 이론에서 자히르

하나피 법학파는 자히르는 들음으로써만 청자에게 명백해진 것이고 사고 과정이 없이 순전히 들음으로써 이해되는 것이라 한다.[5] 하나피파에게 자히르는 의미의 특수화와 쉽게 이해되는 의미를 넘어선 해석(타으윌) 그리고 취소론에 열려 있었다. 그런데 샤피이 법학파는 명백한 의미를 표현하는 데 다른 것이 필요 없는 것이라 하고 의도된 의미가 더 명백하다고 했다. 까라피(Qarrāfī)는 자히르는 2개 또는 그 이상의 의미 사이를 번갈아 사용하는 표현이라 하고 그들 중 하나에서 자히르는 더 돌출된다고 했다.[6] 샤피이파와 하나피파에서 보듯이 이슬람 법학자들 사이에서 차이를 보여 주는 주요 원인은 텍스트를 이해하고 해석하는 데 있었다.[7] 하나피 법학파는 이 문제를 해결하려고 명료성과 모호성이란 이분법을 사용했다.

5 Sukrija Husujn Ramic, Language and the Interpretation of Islamic Law (Cambridge: The Islamic Texts Society, 2003), 69.

6 Sukrija Husujn Ramic, Language and the Interpretation of Islamic Law, 93.

7 Sukrija Husujn Ramic, Language and the Interpretation of Islamic Law, 208.

3. 성경에서 literal 의미

기독교인들은 구약의 히브리어(또는 아람어)와 신약의 그리스어를 모를 때 한국어나 영어나 아랍어 등 다른 언어로 번역된 성경을 읽는다. 디모데후서 3:16에서 모든 성경은 하나님의 영감으로 기록되었다고 했는데 여기서 성경은 "한국어나 영어나 아랍어로 번역된 성경"을 가리키지 않는다. 원어 성경에 얼마나 충실하게 번역했느냐 그리고 번역의 명확성과 문체들이 원어 성경을 얼마나 잘 반영하느냐에 따라 권위 있는 성경 번역본이 된다. 성경 번역자 위클리프(Wyclifffe)는 자신의 번역(1382년 발행)은 원어 성경과 동일한 의미로 영감을 받은 것이 아니라고 했다. 그런데 킹제임스 성경(1611년 발행)의 서문에서는 이렇게 말한다.

> 원본은 땅이 아니라 하늘에서 왔고 원저자는 인간이 아니라 하나님이시고 기록한 이는 사도나 예언자들이 아니라 성령이시다.

킹제임스 번역가들은 원어 성경에 권위를 두었지만 그들은 "모든 번역본이 영감 된 하나님 말씀"이라고 했다. 그런데 이슬람에서는 아랍어 꾸란만을 신의 말씀인 "꾸란"이라고 하고 영어나 한국어로 번역된 것은 "꾸란"이 아니고 "꾸란의 의미 번역"이라고 한다.

루터와 칼뱅은 로마 가톨릭의 4중 이론(역사적인 의미, 도덕적인 의미, 알레고리컬 의미, 종말론적 의미)와 대조적으로 글자 본래의(literal), 문법적, 언어적 주해(philological exegesis)를 따랐다. 종교 개혁자들은 구약을 알레고리컬하게 사용하는 것을 거부했다. 그래서 루터와 칼뱅에게 literal 해석은 알레고리컬 해석을 직접적으로 반대한다는 뜻이다.

그랜트 R. 오스본(Grant R. Osborne)은 그의 해석학 책에서 낱말의 의미에 대하여 첫째, 1차적인 층위는 문맥과 상관없이 그 낱말이 담고 있는 통상적 의미(common meaning)라고 했다. 둘째, 2차적인 의미는 특수한 의미(specific meaning)인데 1차적 의미에 있는 어떤 면을 포함하면서 어느 특정 상황에서만 나타나는 의미다.[8]

버나드 람(Bernard Ramm)은 단어나 문장의 literal 의미가 기본적이고 통례적이고 사회적으로 수용된 의미라고 단언할 때 언어의 복잡성을 과소평가하지 말라고 한다. 혼(Horne)은 literal 해석에서 literal은 수사법이나 은유나 예표나 신비적인 의미가 아니고 그 단어가 갖는 본래의(natural), 고유한(proper) 의미라고 했다. 크라븐(Craven)은 literal 대신에 사용할 수 있는 단어가 normal(통상적인)이라고 했고 literal의 반대가 되는 말은 영적이란 말이 아니고 수사적(비유적, figurative)이라고 했다.[9] 결국, 영어의 literal 의미는 단어 본래의 통상적 의미란 말에 가깝지만 수사적 의미의 반대가 된다.

4. 현대 성경 해석학자들에게 literal의 의미

미국의 현대 성경 해석자들이 literal 의미와 literal 해석을 어떻게 정의하는지 살펴 보자. 미국의 성경 신학자 스테판 브레머(Stephan

8 Grant R. Osborne, The Hermeneutical Spiral (Downers Grove: IVP Academic, 2006), 102.

9 Bernard Ramm, Protestant Biblical Interpretation (Baker Academic, 2012), 121.

Bramer)[10]는 성경이 한국어나 아랍어 등 다른 언어로 번역되면 그 번역이 정확하게 원전(original)을 반영할 때만 권위가 있다고 했다.

원어 성경이나 한국어 또는 아랍어 성경 번역본에서 우리는 저자가 의도한 것이 무엇인가를 항상 찾는다. 만일 번역본이 좋은 번역이라면 그 번역에서 저자의 의도된 의미(intended meaning)를 분간할 수 있다. 대부분의 성경 구절에 대한 번역본의 내용이 저자의 메시지를 잘 전달하고 있다. 그러나 어느 한 언어에서 다른 언어로 어떤 단어들을 번역하기 어려울 때 히브리어와 그리스어 성경으로 돌아가 찾아본다.

스테판 브레머는 성경은 literal의 의미를 찾기 때문에 숨은 의미(hidden meaning)가 있다고 믿지 않는다고 했다. 하나님은 훌륭하게 소통하시는 자(communicator)이시므로 그가 낱말들의 literal 의미를 통하여 말씀하신다. 그러나 성경은 매우 심오하여 우리는 평생 배워야 하고 처음에는 알아채지 못한 것도 여러 번 읽다 보면 정확히 알게 된다. 그는 만일 성경에서 숨은 의미를 찾으려고 하는 사람이 있다면 성경을 인간의 책으로 둔갑시키려고 하는 것이므로 기독교인은 이런 방식을 거절한다고 했다.

제임스 E. 올맨(James E. Allman)은 literal 이란 용어는 여러 의미를 갖는다고 했다. 가끔은 구체적인(concrete)이란 의미를 갖는데 그런 경우에는 세상에 있는 지시물(reference)을 가리키고 사람이 감각으로 감지할 수 있는 것이라고 했다. 우리가 일상적인 대화에서처럼 단어

---

10 2019년 미국의 달라스 신학대학교에서 성경 해석학을 가르치는 교수들에게 literal에 대한 질문을 보냈고 그들의 답변을 중심으로 서술했다.

본래의 구절이나 표현을 단어 그대로 취하는 것이다. 그리고 literal 해석은 딱 집어서 정의하기가 어려운 표현이라고 한다. 영어로 literal 해석이란 말은 통상적(normal) 해석을 가리킨다. 우리가 일상 대화에서 하는 것처럼 단어 본래의 구절이나 표현들은 단어 그대로 받아들이고, 수사적인 말토막(passage)이나 표현들은 수사적으로 받아들이는 것이다.

켄트 프리드맨(Kent Freedman)은 literal이란 단어는 "보통의, 통상적인"(normal), "일상의, 보통의"(regular), 그리고 단어나 구의 일상적인 사용을 가리킨다고 했다. 다시 말하면 literal은 "단어 본래의, 통상적인" 의미라고 한다. 낱말이나 구나 문장에서 literal의 의미는 통상적인(normal) 용례에서 단어들이 통상적으로(normally) 그리고 본래대로(naturally) 표현된 것이다. '나무'가 나무를 의미하고 '손'이 손을 의미하는 것이다. 따라서 성경의 literal 의미를 '문자적인 의미'라고 하지 않고 '단어 본래의 의미'라고 번역하는 것이다.

켄트 프리드맨은 literal interpretation은 낱말이나 구나 문장을 이해하는 방법을 가리키는데 성서학에서는 단어 본래의(literal) 문법적, 역사적, 문학적(literary) 해석을 추구한다. 이 말은 성경의 한 토막을 이해하는 데 이런 4가지 요소가 함께 탐색되어야 한다는 것을 알려준다. 이 4가지는 텍스트에 대한 정보를 우리에게 알려주고 가능한(possible) 의미의 제한된 범위(parameter)를 제시해 준다. 물론 문맥은 저자가 의도한 의미가 어느 것인지를 구별하게 하는 데 도움을 준다. 성경 해석은 인간/ 하나님 저자의 의도된 의미를 밝히고자 하는 것이다. 이와 같이 성경 해석학에서 literal의 반대가 되는 말은 영적이란 말이 아니다.

켄트 프리드맨은 성경의 낱말들이나 구가 통상적으로(normal) 혹은 수사적으로(figurative) 사용되더라도 우리는 항상 성경의 낱말이나 구에서 단어 본래의 의미를 찾아가야 한다고 했다. 예를 들면 사무엘하 7:5에서 여호와는 다윗에게 주를 위한 집을 짓기를 바랐다.

여호와의 말씀이 네가 나를 위하여 나의 거할 집을 건축하겠느냐(삼하 7:5).

그런데 11절("여호와가 너를 위하여 집을 이루고")에서 주님은 다윗을 위하여 집을 지을 것이라고 했다. 이 두 구절을 보면 다윗은 예배 구조물을 지으려고 의도했고 주님은 다윗에게 왕조를 만들어 주려고 의도했다. 그런데 둘 다 사용된 '집'이란 단어는 통상적(normal) 의미라고 말한다. 그리고 그 의미는 컨텍스트가 말해준다.

시편 기자는 "나무들이 손뼉을 치고"라고 했는데 이것은 수사법(figure of speech)을 사용한 것으로서 나무들이 주님이 하신 일을 기뻐하고 축하한다는 의미이다. 나무들은 손을 가지고 있지 않지만 피조물은 창조주의 활동을 기뻐할 수 있다. 수사법을 통하여 단어 본래의(literal) 또는 통상적인(normal) 메시지를 전하고 있다. 따라서 성경 해석자는 항상 단어 본래의 의미나 통상적인 의미를 모색한다.

켄트 프리드맨은 목회자들이 그리스어와 히브리어를 모르면 가장 좋은 번역본을 가지고 성경을 연구할 필요가 있다고 했다. 물론 저자가 의도하는 의미를 찾기 위하여 문법, 문맥, 문학적 장르 등 해석의 원리를 사용해야 한다.

원어는 저자가 의도하는 메시지를 아는 데 통찰력을 준다. 야고보서 2:23-24에서 아브라함이 하나님을 믿으니 이것을 의로 여기셨다고 하고 사람이 행함으로 의롭다 하심을 받는다고 했다. 그러나 로마서 4:3에서는 우리가 믿음으로 의롭다고 선언되므로 얼른 보기에 서로 모순된 것처럼 보인다. 아브라함이 행함으로 의롭다 하심을 받는다는 것은 텍스트가 갖는 아주 분명한 의미를 나타낸다. 바울은 행함과 상관없이 믿음으로 의롭다 함을 받는다고 했고 야고보는 믿음과 행함으로 의롭다 함을 받는다고 했다.

그렇다면 칭의의 두 가지 측면이 있는데 즉, 하나님 앞에서는 믿음으로 의롭다 함을 받고 사람 앞에서는 행함으로 의롭다 함을 받는다. 하나님은 뿌리를 보시지만 사람은 열매를 본다. 여기서 우리가 주목할 것은 로마서에서는 의롭다고 선언한다는 말이 전문적(technical)인 의미로 사용되었고 야고보서는 그렇지 않았다.

켄트 프리드맨은 원어를 모른다고 성경의 메시지를 통째로 이해하지 못하는 것은 아니라고 했다. 성경은 그 자체가 가장 좋은 해석자이므로 다른 성경 본문을 읽다 보면 특정 내용이 올바르게 이해된다. 여기서 중요한 것은 성경 해석을 하는 사람들은 성경의 의미가 분명해지도록 성령께 의존해야 한다. 그러므로 해석자는 겸손한 학습자가 되어 성경을 대하고 자신의 메시지를 지지해줄 본문을 찾으려고 하지 말고 해당 낱말이나 구절이 성경 문맥 속에서 어떻게 사용되고 있는가를 살펴서 성경이 말하고자 하는 메시지를 찾아가야 한다. 성경 해석자는 성경을 역사적 배경에서 해석해야 하고 문법의 규칙을 사용하고 문학적 장르에 따라 낱말들과 구들의 통상적인(normal) 의미를 찾는다.

켄트 프리드맨은 기독교는 통상적(normal) 또는 단어 본래(literal)의 해석으로도 의미가 통하지 않을 때 영적 해석을 받아들인다고 했다.

예를 들면 다윗이 하나님을 그의 "목자"라고 하시고 그가 푸른 초장에 누이시고 잔잔한 물가로 인도하신다.

그렇다면 하나님이 지팡이를 들고 다니신다는 뜻인가? 하나님이 다윗을 양으로 생각하신다는 것인가? 그렇지 않다. 하나님과 다윗이 갖는 영적인 관계를 전하려고 다윗이 이미저리(Imagery, 마음에 그리는 상)를 사용한다. 그 뜻은 하나님이 다윗을 돌보시고 다윗을 먹이시고 다윗을 보호하시고 다윗을 인도하신다는 것이다.

알레고리컬 해석(Allegorical interpretation)은 복음주의 해석 방법으로써 사용되지 않는다. 우리는 우리 자신이 만든 의미를 궁리하지 말고, 성경의 원저자들이 의도한 의미를 찾아야 한다. 성경의 단어 본래의 의미는 수사법, 비유, 예표, 상징, 예언, 시, 암시(allusion: 요한복음 6:49) 등을 알아야 그 의미를 정확히 파악할 수 있다.

5. 성경의 literal과 꾸란의 자히르

아랍어 자히르의 의미를 언어적으로 또는 법적으로 어떤 의미가 있는지를 살펴보았다. 아랍어의 자히르는 "드러난, 우세한, 명백한" 의미를 가리키지만 일부 법학파에게는 자히르에게 선택 가능한 의미가 열려 있다고 보았다. 이슬람법의 학자 할라끄는 법 이론에서 자히르의 의미는 단어의 지정된 의미(designated meaning)보다 더 넓은 조회(wider remit)를 하는 것을 포함한다고 했다.

성경의 literal은 "일상적이고 통상적인, 단어 그대로, 본래의(natural)" 등의 의미를 갖는다. 성경에서 literal 의미의 상대적인 개념은

figurative(수사적) 의미이다. 자히르의 반대 개념은 바띤(숨은)이므로 성경의 literal의 상대 개념인 수사적 의미와 서로 다르다. literal은 단어 본래의 의미나 통상적인 의미를 가리키므로 알레고리컬 해석과 관계가 없다.

성경 해석에서 'literal'은 '통상의, 일상의'(usual), 통례의(customary), 사회적으로 수용되고 인정된 말(socially-acknowledged)[11]이라고 정의하면 아랍어 자히르와 상당히 다른 개념을 갖는다.

표준국어대사전에서 "문자적"이란 말은 "표기해 놓은 글자대로의 의미 또는 그런 것"이라 했고 영어의 literal을 '문자적'이라고 번역해 사용해 왔으나 적절한 번역이 아니다. 그리고 우리말의 '문자적'이란 말은 성경 해석에서 literal이란 말과 서로 연관성이 부족하다.

성경 해석에서는 통상적(normal)인 해석으로서 의미가 통하지 않을 때 영적 해석을 받아들인다. 복음주의 기독교인들은 알레고리컬 해석을 받아들이지 않는다. 결론적으로 꾸란의 자히르와 성경의 병기는 유사한 의미가 들어 있지만 두 단어를 동의어로 사용해서는 안 된다.

꾸란 해석의 성향은 전수에 의한 해석을 먼저 실시하고 나서 그 다음에 이성에 의한 해석을 시행하는데 이때 언어와 이즈티하드(무즈타히드가 해석을 통하여 샤리아의 법들에 대한 지식을 얻으려고 노력함)가 활용된다. 전수에 의한 해석은 꾸란, 순나, 싸하바(무함마드를 만났던 무슬림)의 말들, 타비인(싸하바의 동무들)의 말을 통하여 해석하는 것이다. 따라서 성경 해석과 꾸란 해석은 다음과 같이 구별된다.

---

11 Bernard Ramm, Protestant Biblical Interpretation, 120.

성경 해석 ⇒ 하나님 저자/인간 저자가 "의도하는 의미"

꾸란 해석 ⇒ 전수에 의한 해석 (+) 언어와 이즈티하드

요약

(1) 자히르의 언어적 의미는 "드러난, 우세한, 명백한" 이란 의미를 가리키지만 꾸란 해석자에게 자히르는 우세하지 않는 의미를 갖게 하는 증거가 없어서 우세한 의미를 드러낸 것이므로 두 가지 의미를 가질 때 낱말 그 자체가 즉시 이해되기 위하여 두 가지 의미 중에서 우세한 의미를 취한다.

(2) 성경의 literal은 "일상적이고 통상적인, 단어 그대로, 본래의 (natural)" 등의 의미를 갖는다.

(3) 성경 연구에서 literal을 문자적이라고 번역하는 것은 적절하지 않다.

(4) 순니파는 꾸란 그 자체와 무함마드 그리고 대화하는 상대자를 고려하지 않고 아랍어 낱말들과 표현들의 자히르에만 근거하여 서둘러 해석하지 않는다.

제15장

꾸란에서 '타우라와 인질'은 구약과 신약인가?

1. 타우라와 인질에 대한 무슬림의 관점

꾸란은 시대와 세월을 거치면서 변화와 대체에서 보전되어 온 무으지자(Mu'jizah, 알라가 무함마드에게 보여 준 초자연적인 일)라고 한다. 꾸란을 보호하고 보전한 자는 알라이고[1] 꾸란을 보호하는 데 무슬림들이 강하고 약함에 영향을 받지 않았다고 한다.

물론 알라가 타우라와 인질도 보호하고 보전했다고 무슬림들은 말한다. 알라가 보낸 메신저에게 거짓말을 하라고 보내지는 않았기 때문이라고 했다. 그런데 알라가 유대인에게 타우라를 변질(Taḥrīf, 모음 표기의 변화)시키고 잃어버리지 않도록 요구했으나 그들은 알라의 명령에 응하지 않고 유대인들이 그 책을 변질시켰고 세상의 요구에 따라 그 책을 변질시켰다고 했다. 나싸라 역시 인질을 보전시키지 못하고 오히려 인질을 변질시키고 대체시켰다고 했다.[2]

무슬림들은 무으지자와 만하즈를 구분한다. 무으지자는 알라가 무함마드에게 보여 준 초자연적인 일인데 그것이 바로 꾸란이라고 했

---

1 Muḥammad Mukhtār Jum'ah, Mawsū'ah 'Ulūm al-Ḥadīth al-Sharīf (Cairo: Wizārah al-'Awqāf, 2016), 362.

2 Muḥammad Mukhtār Jum'ah, Mawsū'ah 'Ulūm al-Ḥadīth al-Sharīf, 363.

고 만하즈(manhaj)는 인간이 따라야 할 방도(Ṭarīq)인데 이싸의 만하즈는 인질이고 무싸의 만하즈는 타우라라고 했다. 여기서 말하는 타우라와 인질은 변질되고 대체되기 전의 책을 가리킨다고 했다. 다시 말하면 오늘날 무슬림들은 현재 유대인이나 나싸라가 읽고 있는 타우라와 인질을 알라의 무으지자라고 하지 않는다. 무싸의 무으지자는 지팡이고 이싸의 무으지자는 귀가 안 들리고 앞을 못 보는 자를 낫게 한 것이고 알라의 도움으로 죽은 자가 살아난 것을 가리킨다.[3]

무함마드에게 무으지자는 꾸란이고 만하즈도 꾸란이라고 했다. 꾸란에서 유대인과 나싸라가 그들의 책을 변질시켰다고 알라가 무함마드에게 전해 주었다는 것이다.

2) 성경과 꾸란에 나오는 역사적인 인물

꾸란보다 먼저 수 세기 전에 있었던 성경의 인물들이 꾸란과 이름이 다른 것에 대하여 무슬림들은 어떻게 설명할까?

가령 아브라함의 아버지가 데라인데 꾸란에서는 아자르('aẓar)라고 하고 보디발(fūṭīfār)을 아지즈('azīz)라고 한다. 이집트 종교성이 발간한 『이슬람의 사실들』(*Ḥaqā'iq al-'islām*)에서 성경을 꾸란의 최종적 권위와 증거로 생각하지 말라고 한다. 많은 유대인과 나싸라가 행한 연구에서조차도 성경은 사본들이 있고 타흐리프(taḥrīf, 변질)가 생긴 것이라고 했다. 물론 하디스학에서 타흐리프는 언어적인 의미로는 말이 그 위치가 변화하는 것이다. 전문적인 의미로는 모음 찍기의 모

3 Muḥammad Mukhtār Jum'ah, Mawsū'ah 'Ulūm al-Ḥadīth al-Sharīf, 363.

음들과 모음 부호가 변한 것이다.

무슬림들은 성경이 번역되는 과정에서 타쓰히프(taṣḥīf, 자음의 점 변화)가 생겼고 특히 인명과 장소명에서 그러했다고 한다.[4] 타쓰히프는 언어적인 의미에서 대체와 변화 또는 기록된 종이에서 오류를 가리킨다. 그런데 전문적인 의미에서 타쓰히프는 하나 또는 그 이상의 자음이 변화가 일어나는 것인데 자음 점이 변화하지만 글자의 모양은 원래 그대로 유지된다.

다시 말하면 무슬림들은 성경 사본에서는 모음이 변했다고 하고 번역본에서는 자음이 변했다고 주장한다.

그런데 꾸란은 보존과 정확성이 확인되고 전수에서도 집단이 집단에게 전했다고 한다. 꾸란은 이 세상에서 유일하게 올바른 와히라고 한다. 다른 종교 텍스트에 없는 것은 꾸란에서 참조하라는 것이다.

무슬림들은 아자르를 타라후(tāraḥu)의 칭호(라깝)라고 불렀다. 알꾸르뚜비의 주석에 의하면 이브라힘의 아버지 이름이 타라후라고 하는 데 이견이 없었다고 하고 꾸란에는 그의 이름이 아자르라고 되어 있다고 했다. 혹자는 아자르가 우상이라고 했다고 한다. 이브라힘이 그의 아버지에게 "아자르를 신으로 삼았나요?"라고 물었다. 여기서 신이라는 말은 우상신을 가리킨다는 것이다. 알꾸르뚜비는 아자르는 이브라힘의 아버지이고 그는 타라후이다. 마치 야으꿉을 이스라일이라고 하는 것처럼 이름이 두 개라는 것이다. 무까틸은 말하기를 아자르는 칭호이고 타라후는 이름이라고 했고 알사알라비는 아자르가 이름이고 타라후가 칭호라고 했다. 알자우하리는 아자르는 외래어이고

4 Ḥaqā'iq al-Islām (Cairo: Wizārah al-'Awqāf, 2016), 285.

그의 백성이 우상을 숭배하도록 지원한 자(Mu'āzir)라는 말에서 연유하여 아자르('āzar)라는 말이 나왔다고 했다. 이슬람 학자는 사본을 베낄 때 타흐리프(모음의 변화)와 타쓰히프(자음의 변화)가 생기기 때문에 이건 큰 문제가 아니라고 했다.[5]

3. 꾸란의 타우라 개념

아랍어 사전에서 타우라는 무싸에게 내려 준 책이고 경전의 백성에게는 무싸 오경(아스파르 무싸 알캄사)이라고 하고 나싸라에게는 구약이라고 한다.[6] 타우라라는 단어는 꾸란에서 18번 나오는데 9번은 '인질'이란 단어와 함께 사용된다.

(ㄱ) 꾸란 3:3(타우라와 인질), 48(타우라와 인질), 50(타우라), 65(타우라와 인질), 93 (타우라만 두 번), (ㄴ) 꾸란 5:43(타우라), 44(타우라), 46 (타우라, 인질, 타우라), 66(타우라와 인질), 68(타우라와 인질), 110(타우라와 인질), (ㄷ) 꾸란 7:157(타우라와 인질), (ㄹ) 꾸란 9:111(타우라와 인질과 꾸란),(ㅁ) 꾸란 48:29(타우라, 인질),(ㅂ) 꾸란 61:6(타우라), (ㅅ) 꾸란 62:5(타우라)

---

5 Ḥaqā'iq al-Islām, 288.

6 'Aḥmad Mukhtār 'Umar, Mu'jam al-Lughah al-'Arabiyyah al-Mu'aṣirah, part.1, 305.

서구 학자들 중에는 타우라가 히브리어 토라(법이란 뜻)에서 간접적으로 파생되었다고 하나 아랍 무슬림들은 꾸란에는 외국어가 없다고 주장하므로 무슬림 주석자들은 아랍어 /w,r,y/(불을 피우다)에서 파생한다고 주장했다. 꾸란 주석가 알자마크샤리(1144 AH)와 알라지(1210 AH)는 이런 주장을 거절하고 타우라가 비아랍어에서 왔다고 했다. 꾸란에서 타우라는 무싸의 책 또는 무싸의 오경을 가리킨다. 그런데 꾸란 이후의 이슬람 책에서는 히브리 성경 전체를 가리키는 말로 사용되었다.[7] 그러나 타우라라는 말이 직접 안 나오지만 다음과 같은 꾸란 구절에서는 경전의 백성(유대인과 나싸라)이 소유한 책이란 말로 또는 가끔 유대인만 소유한 책이라고 전한다.

(ㄱ) 꾸란 2:113(책), 121(책), 145(책), 146(책), (ㄴ) 꾸란 3:19(책), 23(책), 70(경전의 백성), 71(경전의 백성), 98(경전의 백성), 110(경전의 백성), 113(경전의 백성), 199(경전의 백성), (ㄷ) 꾸란 4:131(책), (ㄹ) 꾸란 5:59(경전의 백성), 65(경전의 백성), (ㅁ) 꾸란 6:20(책), 114(책), (ㅂ) 꾸란 13:36(책), (ㅅ) 꾸란 28:52(책), (ㅇ) 꾸란 29:46(경전의 백성).

무싸의 쑤후프라고 언급된 꾸란 구절이 있는데 그런 경우 이브라힘의 쑤후프와 함께 나온다.

(ㄱ) 꾸란 53:36-7(무싸와 이브라힘의 쑤후프), (ㄴ) 꾸란 87:19(무싸와 이브라힘의 쑤후프).

---

7 Encyclopeadia of the Qur'ān, Vol.5 (Leiden: Brill, 2006), 300.

그런데 무싸와 이브라힘의 쑤후프가 두루마리(scroll)라면 고대 두루마리의 일부가 된다.

(ㄱ) 꾸란 20:133(쑤후프 울라), (ㄴ) 꾸란 87:18(쑤후프 울라).

이런 무싸의 쑤후프가 타우라와 동일한지 또는 그전에 내려 준 책인지에 대하여 학자들 간에 논란 중이다. 현대 아랍어 사전에서는 타우라와 인질과 자부르를 쑤후프 울라(ṣuḥuf 'ūlā)라고 한다. 그리고 무싸의 책을 가리키는 단어가 꾸란에 나오는데 참과 거짓, 옳고 그름, 허용과 금지를 구별하는 푸르깐(furqān)이란 단어이다.

(ㄱ) 꾸란 2:53(무싸에게 준 책과 푸르깐), (ㄴ) 꾸란 21:48(무싸와 하룬에게 준 푸르깐).

그리고 가끔 타우라를 가리키는 것으로 해석되는 단어들이 있는데 그것이 디크르(dhikr)와 주부르(zubur)이다. 주부르는 서구학자들이 대개는 시편이라고 번역하나 꾸란의 의미 번역서(Rashid Said Kassab)와 사우디아라비아 학자들이 발간한 꾸란 주석서 『쉬운 주석』(*al-Tafsīr al-Muyassar*)에는 다음과 같이 하늘이 내려 준 책, 이전 예언자들의 책이라고 한다.

(ㄱ) 꾸란 3:184(주부르와 키탑을 하늘이 내려 준 책이라고 해석), (ㄴ) 꾸란 16:43(아흘 알디크르; 이전 책들의 사람), 44(알디크르: 꾸란 또는 그 책), (ㄷ) 꾸란 21:7(아흘 알디크르: 경전의 백성 또는 이전에 내려온 책), (ㄹ) 꾸

란 26:196(주부르; 이전 예언자들의 책), (ㅁ) 꾸란 35:25(주부르; 경전 또는 책들).

이처럼 꾸란에 나오는 타우라는 인질과 함께 쓰이는 경우와 홀로 쓰이는 경우가 있는데 이런 경우 알라가 무싸에게 내려 준 책이란 의미이다. 꾸란에는 모세 오경이나 구약을 가리킨다는 단어는 없다.

4. 꾸란의 인질 개념

아랍어 사전에서 인질은 알라가 예언자 이싸에게 내려 준 책이고 인질은 그리스어인데 그 뜻은 기쁜 소식이다.[8]

영어로 편찬된 꾸란 백과사전은 인질은 예수에게 준 신적 메시지의 일부라고 한다. 인질을 Gospel이라고 번역했다. 꾸란에는 인질이라는 단어가 12번 나오고 그중 9번은 타우라라는 단어와 함께 나온다. 꾸란에서 알라가 이싸에게 가르쳐준 책은 타우라와 인질과 알히크마라고 한다.

(ㄱ) 꾸란 3:48(책과 히크마와 타우라와 인질), (ㄴ) 꾸란 5:110(책과 히크마와 타우라와 인질).

---

8 'Aḥmad Mukhtār 'Umar, Mu'jam al-Lughah al-'Arabiyyah al-Mu'āṣirah, part.1, 128.

사우디아라비아의 학자들이 편찬한 꾸란 주석서에서는 위 구절에 나오는 '책'은 쓰기(writing)란 말로 주석하고 히크마(Ḥikmah)는 이해력으로 주석했다. 꾸란 어휘 사전에서 히크마는 말과 행동에서 옳은 것 그리고 유익한 지식이라고 풀이하고 키탑은 쓰인 것, 운명 지어짐, 모경[9], 증거, 하늘의 책, 꾸란, 행위를 기록한 책, 타우라, 인질, 타우라와 인질, 하늘의 책 등이라고 한다.[10]

꾸란에는 두 번 알라가 이싸에게 인질을 주었다는 문장이 나온다.

(ㄱ) 꾸란 5:46, (ㄴ) 꾸란 57:27.

그리고 꾸란 5:47에서 단 한번 경전의 백성에게 알라가 그들에게 내려 준 것에 따라 심판한다고 말한다. 꾸란 3:45-47에는 기독교의 복음서에 나오는 이야기와 다소 유사한 부분이 나온다.

꾸란 5:110에서는 복음서의 외경에서 온 이야기의 모티브를 발견할 수 있다. 그러나 이싸에 대한 많은 꾸란 구절에서 현재 기독교인들이 읽고 있는 텍스트와 평행 구절이 없다. 게다가 꾸란은 무함마드가 미래에 온다는 것이 타우라와 인질에 기록되어 있다고 가르치고 이싸 자신이 예언했다고 한다(꾸란 7:157; 61:6 참조).

기독교인에게 복음은 그리스도 안에서 하나님이 성취하신 구원 즉 모든 인류의 구원에 대한 기쁜 소식을 인간 공동체에 선포한 것인데

---

9 모경이란 말은 꾸란이 땅으로 내려오기 전에 하늘에는 경전의 원전(source of Scripture)이 있었다고 한다. 모경은 아랍어로 'umm al-kitāb 또는 lawḥ maḥfūẓ(preserved tablet)라고 한다.

10 Encyclopeadia of the Qur'ān, Vol.2 (Leiden: Brill, 2006), 949-953.

이런 개념이 꾸란의 '인질'이란 말 속에 담겨져 있지 않다. 기독교인들은 마태, 마가, 누가, 요한 등 복음서의 전도자들에 의하여 4복음서가 하나님의 영감으로 기록되었다고 믿는데 꾸란에서 인질은 알라가 이싸에게 내려 주었다(sent down)고 한다. 꾸란의 인질은 하나님의 영감과 전혀 상관이 없다. 그리고 꾸란에 사용된 '인질'은 모두 단수형을 쓰고 있다. '인질'과 복음에 대한 기독교인과 이슬람의 견해들이 개념적으로 차이가 난다는 것을 알게 된 무슬림 주석가들은 꾸란이 언급한 원래 '인질'은 변질(타흐리프)되었다고 했다. 마치 꾸란에서 유대인들이 타우라를 변질시켰다고 한 것처럼 인질도 기독교인들이 변질시켰다고 주장한다.

이슬람 초기에는 인질이라는 단어가 신약 전체를 가리키는 말로 가끔 사용되었다. 아랍어 성경은 8세기 말 팔레스타인에서 기독교 수도사가 그리스어에서 아랍어로 번역한 것이 첫 번째 번역서이다. 이슬람 초기 무슬림들 중 이븐 꾸타이바(889 사망)와 알야으꾸비(905 사망)는 자유롭게 기독교인의 복음서에서 인용했다. 그러나 이슬람 텍스트에 나타난 이싸의 말들은 기독교인이 알고 있는 복음서에 나오지 않는다.[11]

결국, 꾸란에 나오는 '인질'은 알라가 이싸에게 내려 준 책이고 무슬림들은 오늘날 기독교인에게 잘 알려진 복음서가 변질되었다고 주장한다. 그리고 꾸란에는 기독교인의 복음서와 평행 구절이 없고 '인질'과 복음에 대한 이슬람과 기독교인의 견해에서 개념적으로 차이가 난다.

---

11 Encyclopeadia of the Qur'ān, Vol.2, 343.

5. 아랍어 성경에서 차용된 어휘와 무슬림 아랍어

1) 아랍어 성경에서 차용된 어휘

마크 두리(Mark Durie 2018)는 성경 신학의 언어적-신학적 다리가 꾸란의 텍스트 속으로 연결된 것은 아니라고 했다. 그는 꾸란은 신학적인 혁신의 작품이라고 했다. 성경과 꾸란의 연관성(relatedness)은 기존의 것을 그대로 물려받는 상속(inheritance)이 아니고 차용(borrowing)이라고 설명했다. 성경적 자료들을 새로운 목적에 사용한 꾸란은 이런 것들을 통하여 이슬람 고유의 신학적 어젠다를 만들었다고 했다. 하지만 꾸란이 생성될 때 유대교와 기독교가 영향을 주었지만, 성경과 꾸란 간에는 600년이라는 시간적 차이가 있어서 두 책은 불연속성(discontinuity)을 갖고 있다고 했다. 그는 성경과 꾸란이 유사성이 있다고 할지라도 꾸란은 기독교나 유대교와 유전적인 가계도(family tree)의 관계를 갖고 있지 않다고 했다.[12]

꾸란에 성경적 반영 어휘들(Biblical reflexes)이 나오는데 사실 성경적 형태가 사용되었지만 신학적 내용이 생략되거나 꾸란 신학으로 교체된 것이라고 했다. 마크 두리는 꾸란에 있는 8가지 성경적 반영 어휘들을 조사했는데 그것은 알마시흐(al-Masīḥ)와 메시아, 루흐(rūḥ)와 성령, 사키나(sakīnah)와 신의 임재, ḥ-r-m과 거룩, 샤이딴(shayṭān)과 사탄, 아흐드('ahd)와 언약, 죄와 타락, 라술(rasūl)과 예언자 등의 어

---

12 Mark Durie, The Qur'an and its Biblical Reflexes (Lanham: Lexington Books, 2018), 256.

휘들이고 이런 어휘를 다룬 꾸란 구절들의 의미가 성경적인 의미와 다르다는 것을 밝혔다.

꾸란에서는 아랍인으로서 처음 메신저(라술)가 된 사람이 무함마드였다. 그에게 꾸란이 아랍어로 내려왔다. 경전의 백성은 꾸란을 믿어야 한다(꾸란 4:47). 꾸란을 믿지 않는 자는 알라의 처벌이 있다(꾸란 2:85). 알라가 보낸 라술을 믿어야 하는데(꾸란 3:81) 알라가 모든 사람에게 라술로서 보낸 사람이 무함마드였다(꾸란 4:79). 그리고 이슬람을 다른 종교 위에 두려고 라술을 보냈다(꾸란 9:33).

예언의 핵심과 신의 메시지가 동일하므로 예언자와 메신저가 서로 같다는 학자도 있다. 그러나 이 둘 사이를 서로 구분할 경우 메신저는 알라가 내려 준 책을 갖고 알라의 명령과 금지 사항을 사람들에게 들려주어야 하지만 예언자는 그렇지 않았다. 또, 메신저의 역할은 교리를 바르게 고쳐주고 사람들을 알라의 타우히드(일신론)로 초청하여 알라께 예배하라고 한다. 각 민족에게 보내진 예언자의 역할은 인간을 인도해 주는 일이고 예언적 메시지의 핵심은 인도(guidance)에서 비롯된 자비이다.

꾸란에 나오는 '알마시흐'는 기름 부음을 받았다는 의미가 없고 메시아의 직(office)이란 의미도 없다. 꾸란에 나오는 '루흐 알꾸두스'는 음운과 의미적인 면에서 시리얀어(syriac)와 관련되지만 루흐 알꾸두스는 천사를 가리킨다. 마크 두리는 꾸란에서 신성함(sacredness)은 아랍어 ḥ-r-m이란 어근을 통하여 '금지'라는 말로 표현되지만 성경의 거룩함은 q-d-s라는 단어를 통하여 "분리"라는 의미가 핵심이었다고 했다.

꾸란에 사용된 미사끄는 확고한 약속(꾸란 5:12-13), 알라의 종교가 완전함(꾸란 2:83), 알라가 유대인들에게 무함마드의 예언이 진실하다는 것을 설명하게 함(꾸란 3:187), 혼인 계약(꾸란 4:20-21), 이전의 예언자들이 무함마드를 마지막 예언자로 믿고 그들의 민족에게 이 사실을 알림(꾸란 3:81-82) 등 다양한 의미를 갖는다.[13] 이슬람 교리에서 와으드는 유익을 타인에게 가져다주고 미래의 해로움을 몰아내는 것을 의미한다. 그래서 알라에게 순종한 자에게 알라가 상을 주고 알라가 명하고 금지한 것을 불순종한 자에게 벌을 준다는 것과 관련된다.[14]

꾸란에 나오는 '샤이딴'은 음운과 의미 매칭 과정을 통하여 꾸란 속으로 들어온 단어인데 성경의 사탄과 유사한 점이 있지만 중요한 사항에서는 서로 다르다고 했다. 마크 두리는 알라가 아담에게 생명의 숨을 불어넣었다는 뜻이 아니고 알라가 그에게 바람을 훅 불었더니 그에게 생명이 생겼다(꾸란 15:29)고 말한다.[15] 그런데 알자마크샤리는 이 구절에 대한 주석에서 '생명을 주었다'고 했고 알바이다위는 그의 주석에서 '바람을 불어넣음의 영향이 호흡기관을 통하여 흘러 들어가서 생명을 갖게 되었다'고 했다.[16]

결국, 기독교나 유대교 용어를 차용하여 꾸란에 사용되었다고 할지라도 성경 속의 의미와 동일하지 않은 것은 꾸란에서 새로운 의미

13 Mawsū'ah al-'aqīdah al-'Islāmiyyah, 1075-1076.

14 Mawsū'ah al-'aqīdah al-'Islāmiyyah, 1171.

15 Mark Durie, The Qur'an and its Biblical Reflexes, 172.

16 https://www.altafsir.com/Tafasir.asp?tMadhNo=1&tTafsirNo=6&t-SoraNo=15&tAyahNo=29&tDisplay=yes&Page=2&Size=1&LanguageId=1, 2021년 2월 2일 검색.

가 추가되었기 때문이다. 마크 두리는 꾸란이 유대교와 기독교에 의해 영향을 받았다고 할지라도 꾸란은 새롭고 독특하게 구별된 신학을 구현하고 있다고 한다. 꾸란은 창작적인 과정(creative process)에서 나온 산물이라고 했다. 이런 과정이 새로운 종교를 만들어냈고 다른 종교에서 가져온 몇 가지 특질들이 퍼져 있으나 이 두 종교가 갖는 본질적인 내용(Contents)은 이어받지 않고 있다고 했다. 성경의 YHWH가 갖는 속성 중에 '거룩함과 신적 임재'는 꾸란 속으로 합병되지 않았다고 했다.

2) 아랍어 성경의 어휘와 무슬림의 아랍어 어휘

무슬림의 아랍어를 먼저 배운 뒤 아랍어 성경을 읽다 보면 동일 어휘가 사용되는 것을 보게 된다. 그런데 성경적 개념으로 무슬림의 어휘를 이해하려고 하거나 무술림의 언어로 아랍어 성경을 읽으려고 할 때 가끔 의미의 차이가 있다는 것을 알 수 있다. 그래서 아랍어 성경과 무슬림이 사용하는 어휘들 중 인간의 내적 요소인 디흔, 루흐와 나프스, 다미르 그리고 현대 무슬림들의 윤리와 관련된 어휘들인 비르와 타끄와를 살펴보려고 한다.

(1) 디흔(dhihn)

무슬림들에게는 알라로부터 유출된 첫 이성(intellect)이 나프스(혼)를 다스린다고 했다. 아리스토텔레스는 누스(nous)는 혼(soul)의 일부라고 했다. 무슬림들에게 이성('aql)은 머리에서 생각과 관련되기 때문에 디흔(dhihn, mind)이라고 하고 머리에는 인간의 의지(will)가 있다고 말한다. 아랍어 사전에서 디흔은 아끌(이성)과 사고력, 이해력, 총명함을 가리킨다.

그런데 로마서 12:2에 나오는 "but be transformed by the renewing of your mind"는 그리스어 성경에서는 "누스(nous)를 새롭게 하라"는 것이다. 다시 말하면 그리스어 누스가 영어의 mind로 번역되었다. 그리스어 누스는 이슬람 철학에서는 이성(intellect)으로 번역되었고 아랍어 성경에서는 주로 디흔(dhihn)으로 번역되었다.

일반적으로 영어에서 mind는 '생각과 감정'이란 뜻이고 한국어에서는 mind가 마음으로 번역되었다. 한국어에서 마음이란 사람이 본래부터 지닌 성격이나 품성을 가리키므로 역시 mind를 마음이라고 번역하는 것이 적절하지 않다. 한국인들이 mind를 가끔 정신으로 번역하는데 한국어 사전에서 정신은 육체나 물질에 대립하는 영혼이나 마음을 가리키므로 mind를 정신으로 번역하는 것은 적절하지 않다. 반면에 아랍어 디흔(dhihn)은 intellect('aql)와 intelligence와 관련되지만 감정과는 상관이 없다.

그렇다면 로마서 12장에서 우리가 변화를 받으려면 누스(생각과 의지)가 새롭게 되어야 한다는 것이다. 우리의 생각과 뜻이 새로워져야 한다. 그렇지만 한국어 성경에서는 마음의 변화라고 했고 그리스어 성경에서는 누스의 변화 그리고 아랍어 성경에서는 디흔 또는 아끌의 변화라고 했다.

이와 비슷한 예로 빌립보서 2:5에 "그리스도 예수의 마음"이 나오는데, 여기서 "마음"은 아랍어 성경에서 "피크르"(fikr, 생각)로 번역되어 있다. 그리고 "영적인 젖"(벧전 2:2)이란 말은 아랍어 성경에서 "라반 아끌리"(al-laban al-'aqlī, 이성적인 젖)라고 번역되어 있다.

(2) 루흐(rūḥ)와 나프스(nafs)

일반적으로 아랍어 사전에서 나프스는 루흐, 생명이 있는 것, 그 자신을 대신하는 것이라고 풀이하여 나프스나 루흐가 동일한 의미로 사용될 때가 있다. 그러나 무슬림들은 루흐는 알라가 창조한 것이라고 했다.[17]

이슬람 세계에서 가끔 영자 신문이나 영어로 번역된 자료에 spiritual이란 말을 발견하곤 한다. 언뜻 보기에는 기독교인들이 사용하는 용어와 동일하므로 "영적"이란 말로 잘못 번역한다. 그러나 무슬림들에게 루히(rūḥī)는 "눈에 보이지 않는, 물질적이지 않은"이란 개념이다. 다시 말하면, 루흐는 어느 문맥에서 사용되느냐 그리고 꾸란과 하디스에서 어느 구절에 사용되느냐에 따라 그 의미가 달라진다.

8세기 무으타질라파(mu'tazilī)는 알라와 연관될 때 실제의 손과 얼굴이 아닌 것을 나타내려고 마자즈(majāz; 원뜻이 아닌 다른 의미로 사용)를 활용했다. 그래서 얼굴은 존재라고 해석하고 손은 능력이라고 해석하고 내세에 알라를 본다는 것은 인간의 시력이 아닌 '루흐'로 본다고 했다.

예수 그리스도가 하나님의 아들(ibn allāh)이라는 것을 마자즈를 사용하여 설명할 수 있다. 예를 들면 아랍어 '이븐'(son)이란 말은 육체적인 혈통의 의미가 아니므로 마자즈라는 수사학적 용어를 사용하여 설명될 수 있다. 마치 아랍인들이 '이븐 알발라드'라는 말을 '읍(town)의 아들'이라고 뜻풀이하지 않고 '그 지역을 잘 아는 사람'으로 해석하는 것과 같다.

---

17 공일주, 『꾸란과 아랍어 성경의 의미와 해석』 (서울: CLC, 2016), 494.

(3) 양심(ḍamīr)

무슬림들은 인간의 양심에 대하여 높은 관심을 가져왔다. 오늘날 양심이란 단어는 무슬림 개인에게 가장 높은 지위를 갖는다. 양심이 무슬림의 모든 관심과 여러 의무의 기본적인 엔진이기 때문이다. 이슬람에서 인간의 양심은 마음에 자리한다고 한다.

꾸란의 알끼야마(75장)의 2절에 나오는 단어는 나프스 라우와마(nafs lawwamah)이고 양심(ḍamīr)이란 단어는 꾸란에 한 번도 안 나온다. 무함마드 아비드 알자비리(2009)는 꾸란 75:2에 나오는 부활의 날(Yawm al-Qiyāmah)은 계산하는 날이고 알나프스 알라우와마는 알나프스 알라우와마를 소유한 자가 부활의 날에 계산을 받는 양심이라고 주석했다. 무슬림이 부활의 날에 계산을 받는 것은 무슬림의 양심이라는 것이다. 물론 다른 꾸란 주석에서는 양심이라고 주석하지 않았다.

이슬람에서는 인간이 갖는 혼(nafs)을 양심과 관련 지었고 양심은 인간 내부에서 인간 자신을 감찰하고 점검해 보는 기관(organ)이라고 했다. 그러나 현대 무슬림들은 '깨어 있는 산 양심'(living conscience)을 강조한다. 현대 무슬림들은 양심을 '무하사바 알나프스'(Muḥāsabah al-Nafs)와 연관지었는데 무하사바 알나프스는 낮에 생긴 행동을 밤에 인간이 하나하나 되짚어보는 것을 가리킨다.

우리가 아랍어 '다미르'(ḍamīr)를 양심이라고 번역하는데 현대 아랍어 사전에서 '다미르'는 말과 행동과 사고에서 좋은 것과 나쁜 것을 인식하고 이 둘 사이를 구분하는 것 그리고 나쁜 것을 나쁘다고 생각하고 좋은 것을 좋다고 생각하는 심리적인 자질이라고 했다. 다미르는 개인이 행하려고 하는 것을 받아들이거나 거부하는 것의 바탕이 되는 것이라고 했다.

표준국어대사전(국립국어원)에서 양심은 사물의 가치를 변별하고 자기의 행위에 대하여 옳고 그름과 선과 악의 판단을 내리는 도덕적 의식이라고 했다. 우리말에서 양심은 선과 악의 판단을 내리는 도덕적 의식인 반면에 아랍어 사전에서는 말과 행동과 사고에서 좋은 것과 나쁜 것을 인식하고 이 둘 사이를 구분하는 심리적인 자질이라고 한다. 아랍인에게 좋은 것과 나쁜 것은 각각 할랄(허용)과 하람(금지)의 개념과 연관된다. 그런데 성경에서 양심은 옳고(right) 그름(wrong)을 구별해 주는 내적 자질(faculty)이라고 한다.

그렇다면 양심이 옳고 그름인가?

하람과 할랄인가?

선과 악인가?

(4) 비르(birr)

아랍어 성경에 나오는 비르(birr)와 무슬림들이 오늘날 사용하는 비르(birr)의 개념이 서로 다르다. 아랍 무슬림들은 비르(birr)를 유익과 선함과 행복과 많은 재물, 효도, 알라의 보답과 자비, 순종, 진실, 은택, 그리고 순종과 진실을 망라한 의미로 이해한다. 비르는 모든 유익함을 담고 있는 단어이다. 비르는 사람들에게 좋은 윤리를 낳게 하므로 그들에게 진실하고 유익한 일을 행하고 창조주에게는 그가 명령한 것을 행하고 그가 금한 것을 피한다. 비르는 악행이 없는 행동이므로 악행('ithm)과 반대가 되는 말이 된다. 이슬람 율법에서는 모든 것을 비르에 의하여 행하라고 한다. 결론적으로 비르는 어떤 대가도 없이 칭찬받는 일에 자발적으로 기부하는 것이고 또 좋은 성품을 가져서 말을 좋게 하고 우정으로 대하며 사람들을 몸소 돕는 것이다.

그런데 고린도후서 5:21에서 '하나님의 의'(birr allāh)는 죄와 대조가 되었고. 갈라디아서 2:16에서 "사람이 의롭게 되는 것(yatabarraru)은 율법의 행위에서 난 것이 아니요. 오직 예수 그리스도를 믿음으로"라고 했다. 로마서에서 하나님의 의는 그리스도를 믿음으로써 의롭다 함을 얻는 것이 요구된다. 따라서 무슬림의 '비르'(birr)는 율법에 의한 것이고 그리스도를 구주로 믿는 믿음에서 온 것이 아니다.

(5) 타끄와(taqwā)

아랍 무슬림들은 타끄와는 알라를 두려워하여 알라가 명령한 것은 행하고 그가 금한 것은 피한다고 말한다. 앞서 말한 비르와 비슷한 말이 포함되어 있다. 그래서 알라는 타끄와에서 기뻐하고 인간은 비르에서 기뻐한다고 말한다.

타끄와의 전문적인 의미는 나프스(혼)를 두려워하는 것으로부터 보호하는 것이고 이때 두려움을 타끄와라고 하기도 한다. 그런데 타끄와가 이슬람법적 의미에서는 악행('ithm)하는 것으로부터 혼을 보호하는 것이고 금지된 것을 그만두는 것이다. 꾸란에서 타끄와는 선한 행동의 근거가 되는 바탕이라고 한다. 순나에서 타끄와는 불순종한 행동을 금하고 순종의 행동을 하는 것을 가리킨다. 타끄와는 지옥에서 구조받는 수단이라고 한다. 다른 사람과의 관계에서 타끄와를 실현하려면 공평과 선행을 하는 것이다. 이슬람 교육에서 타끄와는 알라가 명한 것을 지키고 금한 것을 피하는 것인데 이로써 삶이 올바르게 되고 세상에서 좋은 열매를 거두게 한다. 이런 열매로 무슬림의 삶에서 악행과 수치스러운 행동이 자리할 곳이 없고 내세에서 잔나

(극락)에 갈 사람과 함께 할 수 있게 한다.

디모데전서 4:8에서 “하나님을 섬기는 경건의 훈련은 모든 일에 유익하다”고 한다. 이 구절에서 경건에 해당하는 아랍어 성경의 어휘는 타끄와이고 영어 성경에서는 godliness라고 한다.

유대인들에게 타끄와는 율법에 의해 통제되고 억제되는 것으로서 하나님이 만든 질서를 존중하는 것이고 기독교인들에게 타끄와는 하나님을 진실하게 공경하여 하나님을 의식한 행동을 하는 것을 가리킨다.[18] 구약에서 경건은 하나님 중심의 삶이고 하나님과 동행하는 삶이지만 목회 서신(딤전 4:7-8)과 베드로후서(3:11)에서 경건은 매일 하나님을 공경하는 삶의 방식이다.

성경의 경건에 해당하는 그리스어 단어는 유세베이아(eusébeia)인데 신약의 그리스어-영어 사전(1979)에서 유세베이아는 하나님을 두려워함, 하나님께 두려움을 갖는 존경, 경외, 하나님 중심의 삶이다.[19] 유세베이아는 하나님의 의에 뿌리를 두기 때문에 도덕적(moralistic)이지 않다. 그리고 외적인 예배가 아니고 미덕이나 이상(ideal)이 아니다. 피조물을 악이라고 생각하는 금욕주의에 대항하여 참된 유세베이아는 믿음에서 태동하여 하나님을 창조주와 구속주로 공경하는 행동의 패턴들을 포함한다. 따라서 이슬람의 타끄와는 혼을 보호하고 이슬람에서 규정한 선한 행동을 강조하므로 율법적이고 도덕적인데 반하여 성경의 타끄와는 믿음에서 비롯된 하나님 중심의 삶이라고 할 수 있다.

---

18 공일주, 『아랍의 종교-유대교와 기독교와 이슬람』(서울: 세창출판사, 2013), 32.

19 Frederick William Danker, A Greek-English Lexicon of the New Testament and other Early Christian Literature (Chicago: The University of Chicago, 1979), 412.

요약

(1) 이슬람의 타끄와는 혼을 보호하고 이슬람에서 규정한 선한 행동을 강조하므로 율법적이고 도덕적인 데 반해 성경의 타끄와는 믿음에서 비롯된 하나님 중심의 삶이라고 할 수 있다.

(2) 무슬림의 '비르'(birr)는 율법에 의한 것이고 그리스도를 구주로 믿는 믿음에서 온 것이 아니다.

(3) 이슬람에서 양심은 인간 내부에서 인간 자신을 감찰하고 점검해 보는 기관이라고 했으나, 성경에서 양심은 옳고 그름을 구별해 주는 내적 자질이라고 한다.

(4) 무슬림들에게 루히(rūḥī)는 "눈에 보이지 않는, 물질적이지 않는"이란 개념이고 루흐는 알라가 창조한 것이다.

(5) 로마서 12장에서 우리가 변화를 받으려면 "누스"(생각과 의지)가 새롭게 되어야 한다는 것이다. 한국어 성경에서는 마음의 변화라고 했고 그리스어 성경에서는 누스의 변화 그리고 아랍어 성경에서는 디흔 또는 아끌의 변화라고 했다.

용어 해설

까다리야(qadariyyah): 7세기부터 9세기까지 융성한 이슬람 교파(firqah)이다. 세상의 사건들이 알라가 영원히 정해준 체계에 따라 일어난다(까다와 까다르)는 것을 부인한다. 다시 말해서 모든 인간은 그의 뜻대로 자신의 행동을 일으킨 자라고 생각한다. 이와 대조적으로 자브리야는 인간에게 선택의 자유가 없다고 생각한다. 까다리야의 많은 교리를 무으타질라파가 수용했고 아쉬아리파는 까다리야파를 거부했다.

끼라아트 알꾸란(qirā'āt al-qur'ān): 꾸란의 낱말을 발음하는 방법과 그것을 수행하는 법을 알려주는 것이다. 전문적 의미에서 끼라아트는 알라의 말에 대하여 특정한 전수자 이맘들에게 속하는 독법의 차이들(어말의 모음 변화, 낱말의 변화, 조음 방식의 변화)을 알려주는 것이다.

나싸라(naṣārā): 이싸를 믿는 사람들, 오늘날 아랍 무슬림들은 나싸라가 이싸의 추종자라고 주장한다. 꾸란의 나싸라는 "(알마시흐) 이싸의 종교를 따르는 자들" 또는 "나사렛 사람들"이라고 하지만 아랍어 성경에서는 기독교인들을 마시히윤이라고 한다.

나쓰라니야(naṣraniyyah) : 이싸를 믿는 사람들의 종교

나즘(Naẓm): 수사학자 압둘 까히르 알주르자니의 나즘에 대한 정의는 다음과 같다.

(ㄱ) Ta'līq al-kalim-i ba'ḍuhā bi-ba'ḍ-in: 구문(tarkīb)과 문맥에서 서로 적합한 관계(tawāfuq)가 되도록 말이 잘 선택되고 말의 의미에서 서로 모순이 없다. 각 낱말이 그 앞에 오는 낱말들과 그 뒤에 오는 낱말이 결합하여 정확히 제자리에 놓인다.

(ㄴ) wa-ja'ala ba'ḍuhā sabab-an min ba'ḍ-in: 서로 연결되고(tanāsub) 화자의 생각과 일치되게 낱말들의 조화('insijām; 의미의 부분 사이에 모순이 없음)가 지켜진다.

(ㄷ) 'aw huwwa tawakhkhī ma'ānī al-naḥw-i: 의미들이 실현되도록(문법적인) 아랍어 문장의 구문이 형성된다.

디크르(dhikr): 기억한 것을 말로 함 또는 수피즘에서 디크르는 반복하는 기도문 또는 신체적인 자세와 함께 호흡하는 리듬을 규정한 의식 또는 알라를 계속 기억하게 하는 방식이다. 그런데 디크르는 꾸란을 가리키기도 하는데 사람들에게 그들의 현세의 유익과 내세를 기억나게 해 주므로 꾸란을 디크르라고 한다.

딘(dīn): 메카 꾸란의 첫째와 둘째 시기에는 딘은 심판 또는 응보의 뜻이다. 메카 꾸란의 세 번째 시기에는 딘이 지상에서 인간을 위한 알라의 올바른 길이란 뜻이다. 그리고 메디나 시기에서 딘은 알라의 올바른 길에 따른 집단적 준행이고 메디나 시기 말에는 딘

이 종교라는 의미를 갖게 된다.

라피다(rāfiḍah; 복수형 rawāfiḍ)파: 순니파가 시아파에 속하는 12이맘파를 지칭할 때 사용한 옛 명칭이다. 현대에 와서는 이 용어가 일부 보수적인 정치 이슬람 집단을 가리킬 때 사용되는데 특히 와하비 운동과 살라피 운동 또는 이슬람 국가 조직(IS)을 가리킬 때도 사용된다. 라피다파는 무함마드를 만난 무슬림들을 저주하였고 그들을 카피르(kāfir; 알라를 믿지 않는 자)라고 했다.

루부비야(rubūbiyyah): 타우히드 알루부비야라고도 하는데 세상의 창조주가 한 분이라는 것을 믿는 것이다. 이븐 타이미야는 타우히드를 루부비야(창조주), 울루히야(예배받는 자), 그리고 알라의 이름과 속성 등 셋으로 나눴으나 오늘날 아쉬아리파 무슬림들은 루부비야가 울루히야와 같다고 설명한다.

마르할라(maḥalah): 시기적인 단계

마자즈(majāz): 원뜻(ḥaqīqah, 하끼까)은 원래 조어된 대로 사용된 낱말의 의미를 나타낸다. 마자즈(majāz)는 원뜻을 가져오게 하는 것을 막는 까리나(qarīnah; 정황 증거, 문맥 표지)와 함께하는 연관성 때문에 원래 조어된 대로 사용되지 않는 어휘이다. 원뜻이 아닌 다른 의미로 사용되는 말이다.

무나피끈(munāfiq-ūna): 마음 속에 쿠프르(kufr; 믿지 않음)를 숨기고 혀로 믿음('īmān)을 보이는 자들

무쓰하프(muṣḥaf): 정경화 이전의 꾸란 사본

무쓰하프 이맘(muṣḥaf 'imām): 우스만 칼리파가 소장한 무쓰하프

마으리파(ma'rifah): 수피즘 용어로서 '체험에 바탕을 둔 직접적인 지식'을 의미한다. 사물을 보는 관점에 따라 수피의 마으리파 정의가 다양하다. 인간의 혼이 실현하는 상태나 단계나 형태에 따라 수피의 마으리파가 여러 가지 이름을 갖는다. 마으리파의 속성으로는 배움이란 수단을 통하지 않으므로 직접적이라고 하고 또 새로워지므로 변화하는 특징을 갖는다. 수피즘에서 마으리파와 일므('ilm, 지식)가 같은 개념이라고 하는 사람과 서로 다르다고 하는 사람으로 나뉜다.

무으타질라(mu'tazilah): 8세기 초 이라크의 바쓰라에서 등장한 이슬람 교파이다. 중죄를 지은 자는 무으민(mu'min, 믿는 자)도 카피르(kāfir, 믿지 않는 자)도 아니라고 했다. 신학적 문제에 대한 논의에서 논리와 유추에 의존하였고 내세에서 알라를 볼 수 없다고 한다.

무즈타히드(mujtahid): 무즈타히드와 파끼흐는 둘 다 구체적인 증거에서 직접적으로 법을 끌어내는 법학자이다. 파끼흐는 피끄흐(법)의 매뉴얼에서 지식을 끌어내는 법학자이다. 이 매뉴얼에는 무즈타

히드의 의견이 포함되어 있다. 무즈타히드가 끌어낸 법들이 파끼흐의 법의 출처가 된다. 그래서 파끼흐를 무깔리드(muqallid, 종교법의 문제에서 과거에 이뤄진 결정에 의존하는 자)라고 부른다.

무타샤비흐(mutashābih): 난해한이란 뜻이고, 하나피 법학파는 명료성의 측면에서 명료한 의미와 명료하지 않는 의미로 구분하고 전자는 자히르(명백한), 낫쓰(의문이 없는), 무팟사르(설명된), 무흐캄(명확한)을 포함하고 후자는 카피(숨긴), 무쉬킬(의문의), 무즈말(설명이 필요한), 무타샤비흐(난해한)를 포함한다

무타와티르(mutawātir): 집단으로부터 집단에게 전한 것을 무타와티르라고 하고 무타와티르가 아닌 것을 '아하드'('āḥad)라고 한다. 아하드 하디스는 가립(gharīb), 아지즈('azīz), 마쉬후르(mashhūr) 등 셋으로 나뉘는데 아하드는 하디스 전달자가 단 한 명이고 아지즈는 하디스 전달자가 두 명이고 마쉬후르는 동시대 전달자들 집단에서 하디스 전달자가 세 명이다.

무흐캄(muḥkam): 명확한이란 뜻이고, 꾸란 해석 과정에서 출발점에 해당하는 것이 자히르이고 머릿속에 떠오르는 의미가 자히르이다. 하나피파는 분명한 의미에서 더 분명한 의미로 설명할 때 자히르, 낫쓰(의문이 없는), 무팟사르(설명된), 무흐캄(명확한)의 순서로 의미의 명료함을 구분했다.

바띤(bāṭin): 아랍어 동사 '바따나'(baṭana)는 '숨다' 또는 '숨기다'의 의미이고 자하라(ẓahara)의 반대말이다. 바띤(bāṭin)은 '숨은'이란 뜻이다. 언어적 의미에서, 바띤은 모든 것의 속에 들어 있는 것을 가리키고 숨어 있는 것을 가리킨다. 자히르의 반대말로 쓰이는 바띤은 숨은이란 뜻이다.

발라가(balāghah): 카이로대학교 수사법 교수 압둘 하킴은 수사법은 "말의 파싸하 그리고 말(kalām)을 상황의 필요에 따라 일치시키는 것"이라고 했다. 수사적인 말(kalām balīgh)에서 실현해야 할 기본적이고 첫째가는 특성은 말을 대화 상황의 필요에 따라 일치시키는 것이다. 이런 특성은 언어적 표현의 적합성이나 구문과 관련된다. 아랍어 수사법에는 일므 알바얀(뜻 바꾸기, 뜻 밝히기), 일므 알마아니(상황 따르기, 상황 일치), 일므 알바디으(꾸미기, 장식, 미화법)가 있다.

비드아(bid'ah): 전례가 아닌 것을 새로 들여옴, 새로운 것, 종교에서 빗나가거나 종교에서 비정상적으로 나간 새로운 경향, 따라야 할 종교적 가르침에서 벗어난 것이다.

살라프(salaf): 과거 또는 선조라는 뜻, 살라프는 종교를 건설하고 이슬람의 방식을 적용한 창립 세대이다. 꾸란을 예언자에게서 듣고 삶의 현실에 적용하였는데 이들을 살라프 쌀리흐(권위 있는 선조)라고 부른다. 살라프는 (무함마드의) 모범을 그대로 따랐던 사람들이고 종교의 본보기가 된 사람들이다. 그리고 타비우 알타비인 이후를 '후 세대'(칼라프, Khalaf)라고 한다.

살라피야(salafiyyah): 법 규정이 이슬람의 제일 근원인 꾸란과 제2 근원인 순나로 돌아가자는 사람들이다. 살라피야는 이슬람 사상에서 여러 분파가 생겨났다.

샴(shām): 아라비아반도의 북서 지역(시리아, 레바논, 팔레스타인, 그리고 요르단 일부 지역)

수라(sūrah): 꾸란의 장(chapter), 전문적인 의미로서 수라는 처음과 끝을 가진 꾸란의 구절(Verse)들의 독립된 부분이다.

순나(sunnah): 하디스 연구자 또는 하디스 수집가(muḥaddis)는 무함마드가 무슬림의 본보기이므로 그의 모든 측면을 알아야 한다고 생각한다. 하디스 연구자는 무함마드의 말, 행동, 그가 암묵적으로 시인하고 동의한 순나를 모았는데 순나에는 법으로 확정되거나 확정되지 않는 것들까지 포함되어 있었다. 법 이론가는 법적 지침이 될 무함마드의 순나를 논의하였고, 법학자는 법적 규범에서 온 법을 나타내 주는 무함마드의 말과 행동을 논의했다.

순니(sunnī): 순나의 형용사이고 순니파('ahl al-sunnah)라고 하고 시아파와 대별된다.

쉬르크(shirk): 여러 신을 믿는 것. 알라의 자리에 무언가를 놓는 것이다.

싸하바(ṣaḥābah): 한 번이라도 무함마드를 실제로 만났던 무슬림들이다.

씨라뜨(ṣirāṭ): 무슬림은 현세에서 행한 행위를 저울에 달고 계산이 끝난 뒤에는 무슬림이 행한 모든 것이 밝혀진 후 낙원이나 고통의 장소로 옮겨진다. 종말로 이어지는 씨라뜨를 무슬림이 지나가야 한다고 말한다. 씨라뜨에 대한 법적 의미는 지옥으로 이어진 다리이다.

아르드 무깟다스('arḍ muqaddas): 복을 받는 깨끗한 땅, 무슬림들에게 아르드 무깟다스는 뚜르, 샴, 아리하(여리고)의 땅, 다마스쿠스와 팔레스타인과 일부 요르단이다.

아쉬아리파('ash'ariyyah; 알아쉬아리파): 순니 이슬람 교파이다. 아쉬아리(또는 알아쉬아리)는 아부 알하산 알리 븐 이스마일 알아쉬아리에서 따온 말이고 그는 873년 바쓰라에서 태어나 941년 바그다드에서 사망했다. 그가 아부 알리 무함마드 븐 압드 알와합 알줍바이(무으타질라파)에게서 배우기 전에 꾸란, 하디스, 아랍어 언어학, 샤리아 등에 대한 이슬람 교육을 받았다. 알아쉬아리가 무으타질라파 학생이었으므로 정평 있는 토론자였고 이성주의자의 견해를 가졌으나 40세가 된 후에는 전수를 중심으로 하는 방법론을 사용했다. 알아쉬아리는 그의 스승의 답변에 만족하지 못하여 자기 나름대로 문제를 풀었기 때문에 나중에 그의 이름을 따서 아쉬아리파라고 불렸다.

아스밥 알누줄('asbāb al-nuzūl): 꾸란이 내려온 원인들 또는 꾸란이 내려온 배경들, 꾸란이 무함마드에게 단 한번에 내려오지 않고 나뉘어서 내려왔다. 꾸란이 내려온 특징들 중에는 어떤 현안, 사건, 행사에 직면할 때 내려왔다. 그렇다고 모든 구절(아야)이 꾸란이 내려온 원인이나 내려온 것과 관련된 이야기를 갖는 것은 아니다. 그중에는 원인이 없는데도 꾸란 구절이 내려오는 경우도 있다. 학자들이 꾸란이 내려온 것을 두 종류로 나누었는데 하나는 원인이 없이 내려온 것이고 다른 하나는 사건이 일어난 후 또는 질문이 있는 후에 꾸란 구절이 내려왔다.

아흐캄('aḥkām): 후큼(ḥukm)의 복수형, 후큼은 언어적으로 명령(command)을 뜻한다. 전문용어로는 법령 또는 법의 룰(rule)이고 후큼 샤르이(ḥukm shar'ī)는 법 규정(legal rule)이다.

아흘 알꾸란('ahl al-qur'ān): (ㄱ) 무슬림 인도(안내, guidance)의 완전한 근거로서 오직 꾸란만을 전적으로 의존하는 사람들(꾸란보다 하디스를 의존하는 것을 강조한 아흘 알하디스 운동을 반대함) (ㄴ) 이슬람에서 신앙과 입법에서 꾸란을 유일한 출처로 생각하는 자들 (ㄷ) 꾸란이 알라의 메시지로서 아주 분명하고 완전하므로 하디스를 참조하지 않고 오직 꾸란만으로 알라의 메시지를 이해할 수 있다고 하는 사람들 (ㄹ) 모든 무슬림이 꾸란의 진실성을 만장 일치로 동의한 유일한 책이고 하디스의 진실성에 대해서는 여러 이슬람 분파에 따라 의견 차이가 있으므로 하디스의 진실성을 인정하지 않는 자들이다.

아흘 알키탑('ahl al-kitāb): 아흘 알키탑은 (하늘에서) 내려온 책을 갖는 유대인과 나싸라(이싸를 따르는 자들)를 가리킨다.

아흘 알하디스('ahl al-ḥadīth): (ㄱ) 무함마드의 안내(hudā)를 따르는 사람들(무함마드의 유산을 지키고 무함마드의 방식을 모델로 삼는 자들), (ㄴ) 하디스를 과도하게 의존하는 자들, (ㄷ) 법적으로 무함마드의 하디스에 전념하는 사람들, (ㄹ) 무함마드의 방식(manhaj)에 따라 행동하는 사람들이고 종교에서 비드아가 없고 첨가도 없음, (ㅁ) (파트와에 필요한 것을 얻고자) 꾸란이나 순나의 텍스트를 탐구하는 법학자들 .

압드('abd): 아랍어에서 '압드'는 사고 팔리는 노예, 인간(자유 자나 노예와 상관없이)이란 뜻이고 '아바다 알라'처럼 동사로 사용되면 알라에게 순종하다, 복종하다, 알라의 종교의 법을 지키다, 알라의 의무를 수행하다라는 뜻이다.

야후드(yahūd): 바누 이스라일(이스라일의 자손), 무싸의 민족, 이브라니윤(히브리인)이라고도 한다. 이브라힘의 자손으로서 이집트에서 한동안 살았고 피르아운(바로) 왕의 박해를 받았으며 무싸가 그들을 구원했다. 유대교의 추종자들이다.

우쑬리('uṣūlī): 우쑬 알피끄흐의 학자나 법 이론가이다. 법 이론가는 꾸란, 순나, 다른 보편적 증거를 연구하고 이런 증거들이 제한되지 않고 많은 것을 나타내는지, 한 가지 의미만을 나타내는지 그리고 명령과 금지를 제공하는지 또는 그렇지 않은지를 결정해야 한다. 법 이론가는 어떤 결정을 내려야 하고 그에 따라 일반적인 법(rules)을 제안한다.

우쑬 알딘('uṣūl al-dīn): 종교의 원리, 신앙의 원리, 종교의 이론적인 기초, 우쑬은 다른 것이 세워지게 하는 것이고 알딘(al-dīn)이 붙여지면 이론적인 토대(qawā'id)를 형성시키는 기초적인 우쑬을 갖는다는 뜻이다. 우쑬 알딘은 확실한 증거 위에 세워지므로 교리학과 관련된다.

우쑬 알타프시르('uṣūl al-tafsīr): 해석의 원리 또는 해석의 법칙이나 해석의 방식이다.

우쑬 알피끄흐('uṣūl al-fiqh): 법 이론 또는 법 원리, 샤리아의 이론적 기초(basis), 피끄흐는 원리(principles)를 이해하는 것인데 규정(rule)이 여러 주제에 적용될 수 있는 절대적 명제이다.

우주흐(wujūh): 우주흐는 하나의 낱말이 문장의 위치에 따라 여러 의미를 갖는 것이다. 꾸란에서 우주흐를 아는 것이 그 의미를 이해하고 그 의도와 취지를 이해하는 데 가장 나은 수단이라고 한다.

울루히야('ulūhiyyah): 울루히야는 '타우히드 알울루히야'라고 하는데 알라만을 예배하고 그 예배에서 아무도 동등한 자가 있을 수 없다고 믿는 것이다. 이븐 타이미야는 진짜 타우히드는 타우히드 알울루히야라고 주장한다. 이븐 타이미야는 타우히드(울루히야, 루부비야, 씨파트[속성])에서 무슬림과 카피르를 구분했으나 아쉬아리파는 이런 구분을 하지 않았다. 타우히드 알울루히야는 쉬르크와 위선이 없이 알라에게 여러 종류의 내적 예배와 외적 예배를 실행하는 것이다. 이집트에서 발간된 아랍어 사전에서는 울루히야와 루부비야가 같다고 한다.

위흐다니야(wiḥdaniyyah): 위흐다니야는 (ㄱ) 알라의 속성 중 하나로서 (ㄴ) 알라의 완전함의 속성과 알라의 본질에서 유일함이고, (ㄷ) 모든 우주의 창조주로서 한 분 알라가 존재한다는 것을 믿는 것이다.

이만('īmān): (ㄱ) 믿음, 복종을 표명함, (ㄴ) 꾸란과 순나에서 이만은 이전에 메시지를 보낸 사람들과 구별되게 무으민(믿는 자)에게 무함마드가 가져다 준 이슬람법, (ㄷ) 무함마드가 가져다준 종교의 원리(우쑬 알딘)를 마음으로 믿고 신뢰하는 것을 가리킨다.

이스나드('isnād): 하디스의 전달자를 추적해 가는 것, 하디스의 전달 계보(chain)

이스라일리야트('isrā'īliyyāt): 유대인과 나싸라(이싸를 따르는 자들)의 말을 가리킨다.

이슬람('islām): 이슬람과 살람(salām)은 어근이 공유되는데 어근이 갖는 뜻은 결점이 없다는 것이다. 이슬람법에서 이슬람은 복종을 표명함, 이슬람법을 표명함, 무함마드가 가져다 준 것을 지킨다는 것이고, 꾸란과 순나에서 이슬람이란 뜻은 예언자들과 메신저들이 가져다 준 종교(딘)이고 완전성과 포괄성이란 특징을 가진 총체적인 메시지를 알라가 무함마드에게 준 종교이다. 하디스에서 이슬람은 피조물을 인도하기 위하여 알라가 그의 예언자에게 보낸 종교(딘)이다. 기도와 금식 등 외적 행동을 이슬람이라고 하고 알라를 두려워하는 것처럼 마음으로 믿는 것은 믿음(이만)이라고 한다.

이스마일파('ismā'īliyyah): 이스마일파는 시아파의 첫 여섯 이맘을 믿는다. 이맘은 선출되는 것이 아니라 유언으로 임명한다. 이맘은 알하산 혹은 알후세인의 후손이어야 한다. 이슬람법을 적용치 않은 통치자나 압제적인 이맘에 대항한 반란과 군사적인 저항은 합법이다. 핍박과 위험을 당할 때 타끼야(시아파에서 자신의 신앙에 어떤 위협이 닥치면 자신의 신앙을 감추는 행위)를 허용한다. 꾸란 해석은 자히르와 바띤 둘 다 사용한다. 내세에 알라를 볼 수 없다고 하고 꾸란은 창조되지 않았다고 생각한다.

이스티들랄('istidlāl): 법적 추론(legal reasoning), 무슬림 철학자들은 입증이라고 함, 이븐 루쉬드에게 이스티들랄은 이스틴바뜨의 원칙과 유추를 아는 것을 필요로 한다고 했다. 아는 것에서 모르는 것으로 생각이 이동함, 아는 사실에서 출발하여 모르는 사실로 다다르는 체계적이고 이성적인 연구, 어떤 문제를 다른 문제에서 추론함.

이스틴바뜨('istinbāṭ): 간단한 것에서 복잡한 것으로 이동하면서 논리적인 규칙에 따라 결론을 끌어내기 또는 생각을 빠르게 하고 내적 능력으로 텍스트에서 의미들을 끌어내는 것이다.

이슴('ithm): 아랍어 이슴('ithm)은 단브(dhanb), 비난받아야 마땅한 카띠아, 불순종이란 뜻이다. 단브는 불순종, 위반, 이슴, 샤리아(이슬람 율법)를 지키지 않은 것으로서 유죄 판결과 처벌이란 뜻이다. 카띠아는 단브보다 큰 것, 알라의 샤리아를 어김, 알라의 계명에 불순종한 것을 포함하고 악의에서 나온 도덕적인 잘못, 보상이나 용서가 필요한 위반을 가리킨다.

이쓸라흐('iṣlāḥ): (ㄱ) 더 나은 쪽으로 변화, 개혁 (ㄴ) 혁명(thawrah)과 이쓸라흐는 변화라는 측면에서 서로 동일하나 변화 스타일과 변화 시간에서 서로 다르다. 둘 다 이슬람에서는 종합적이고 깊이 있는 변화이지만 혁명은 대개 폭력을 동반하고 변화의 속도가 빠르다. 그러나 개혁의 변화는 점진적이다. 이슬람에서 현실을 변화시키려고 할 때 혁명(사우라)이 일어나고 인간의 변화를 위해서는 개혁(이쓸라흐)의 방식이 요구된다. 무함마드의 메시지는 개혁을 요구한다. 19세기 후반에 자말 알딘 알아프가니가 이끄는 개혁 운동이 있었는데 이집트에서 시작하여 이슬람 세계로 퍼져 갔는데 꾸란과 올바른 순나와 살라프 쌀리흐(salaf ṣāliḥ, 권위 있는 선조)의 방식으로 돌아가서 이슬람 사상을 부활시키고 새롭게 하자고 했다.

이즈티하드('ijtihād): (ㄱ) 법학자가 법적 판단을 얻기 위하여 최대한 노력을 기울이는 것 (ㄴ) 이즈티하드는 질문이 있건 없건 간에 법적 근거에서 법적 판결을 이스틴바뜨(논리적인 규칙에 따라 결론을 끌어내기)하는 것이다. (ㄷ) (아랍어 사전의 정의) 법학자가 시행하는 법적 해석이나 법적 판결, (ㄹ) 법에 유용한 텍스트가 꾸란이나 순나에 없는 법적 문제 또는 만장 일치하지 않은 사건에 대하여 법학자의 역량으로 법적 규정을 도출하는 것 (ㅁ) 법학자가 온 힘을 다하여 구체적인 증거들로부터 논리적인 규칙에 따라 법을 도출하는 것 (ㅂ) 무즈타히드가 해석을 통하여 샤리아의 법들에 대한 지식을 얻으려고 노력함

일므 알마우히바('ilm al-mawhibah): 알라의 지식을 실천한 사람에게 선물로 주는 것이다. 알라가 준 지식을 효과적으로 사용하고 실천하는 자에게 알라가 하사해 주는 것을 가리킨다.

일므 알바얀: 뜻바꾸기('ilm al-bayān)라고 하고, 원뜻과 원뜻이 아닌 다른 의미로 사용되는 말, 은유, 언급된 은유, 숨은 은유, 직유, 환유들을 다룬다. 아랍어 수사법에서 상황 따르기('ilm al-ma'ānī)는 진위 여부와 진위 무관, 간략과 확장 등을 포함한다. 그리고 수사법에서 꾸미기('ilm al-badī')는 산문의 각운, 반의어 대조, 문장의 의미 대조, 먼 의미 찾기 등을 포함한다.

일므 우쑬 알피끄흐('ilm 'uṣūl al-fiqh): 법 이론학, 알가잘리는 피끄흐는 인간 행동을 위해 세운 법적 규정들의 지식이라고 한다. 우쑬은 법

학자에게 '텍스트를 해석하기 위하여 사용하는 법칙들'(principles)이고 이런 법칙들을 '까이다 우쑬리야'라고 한다. 우쑬 알피끄흐는 무즈타히드가 구체적인 증거로부터 행동의 법적 규정들을 끌어낸 것을 사용한 원리들이다. 무즈타히드가 꾸란, 순나, 이즈마아(이슬람의 법적 규정에 대한 무즈타히드들의 일치), 유추에서 구체적인 증거들을 사용하여 법을 끌어낼 수 있고 무즈타히드의 도움으로 해석의 원리를 세운다.

자히르(ẓāhir): 꾸란에서 자히르와 바띤은 꾸란의 외적(outer) 그리고 내적(inner) 차원의 표현이다. 샤피이 법학파는 라지흐(rājiḥ, 우위를 차지한, 우세한)를 취하였으므로 어떤 낱말이나 표현이 두 가지 이상의 의미를 함축할 때 둘 중 하나가 다른 것보다 더 우세한 의미를 자히르라고 했다. 하나피파에게 자히르는 '분명한' 의미를 갖고 있어서 텍스트적인 증거가 필요 없고 타으윌(자히르를 피하고 다른 의미를 찾는 해석)과 취소론(나스크) 그리고 의미의 특수화 또는 특정화(takhṣīṣ)에 열려 있었다.

자히리야파(ẓāhiriyyah): 자히리야는 타으윌과 견해와 유추를 피하고 꾸란과 순나에 나오는 어휘들의 자히르를 취하는 것이다.

잔나(jannah): 극락(머리를 쉬게 하는 좋은 상태, 건강과 여유와 안전과 음식과 마실 것으로 즐기는 곳), 나무 가지가 무성한 정원, 신학 용어에서는 종말에 계산을 받은 후 알라가 뭇타낀(알라에게 순종하되 불순종을 멀리하여 알라의 벌로부터 보호받는 자)에게 호의를 베풀어 육신이 편안하고 보상을 받는 곳이다. 잔나에는 여러 등급이 있고 최고 높은 등급은 피르다우스(파라다이스)이다. 순니파에서는 지금 잔나와 지옥이 존재한다고 믿는다.

카피르(kāfir): (ㄱ) 알라와 동등한 자를 믿는 자, (ㄴ) 알라가 한 분이라는 것을 안 믿거나 무함마드의 예언을 안 믿거나 샤리아를 안 믿는 것 또는 이 세 가지를 모두 안 믿는 자를 가리킨다.

타끄와(taqwā): (ㄱ) 두려움을 당하는 것으로부터 인간의 혼을 보호해 주는 것, (ㄴ) 해를 당하는 것으로부터 보호함, (ㄷ) 법적 의미에서는 비난받을 죄(이슴)로부터 혼을 보호하고 금지된 것을 버리는 것이다.

타끌리드(taqlīd): 모방, (ㄱ) 법적 선례와 관례적인 행동을 교리와 부합시킴, (ㄴ) 숙고하지 않고 증거도 없이 그가 말하고 행동하는 것을 그대로 따름, (ㄷ) 칼라프(khalaf, 후 세대)가 살라프(salaf, 선조)를 그대로 따르는 세습된 관습, (ㄹ) 샤리아에서 증거를 묻지 않고 다른 사람의 의견을 따르는 것이다.

타르지흐(tarjīḥ): 어느 증거를 다른 증거보다 우선하는 것이다.

타비우 알타비인(tābi'u al-tābi'īn; 'atbā' al-tābi'īn): 타비인은 싸하바의 동무들이고 타비우 알타비인은 그 타비인을 만나서 그들의 동무가 된 무슬림들이다.

타비인(tābi'īn): (무슬림으로 죽었던 사람들 중에서) 싸하바를 만났던 무슬림들, 싸하바의 동무들이다.

타쓰히프(taṣḥīf): 하나 또는 그 이상의 자음에서 변화가 일어나는 것인데 자음의 점이 바뀐 것을 가리킨다.

타우히드(tawḥīd): 순니파에게 타우히드는 알라의 본질과 속성, 일하심에서 알라의 하나됨을 입증하는 것이다. 타우히드에 해당하는 말은 "알라 이외에 신이 없다"는 것이다. 타우히드라는 말은 '알라는 한 분이다'라는 것이므로 일신론을 가리킨다. 타우히드의 전문적 의미는 위흐다니야(wiḥdaniyyah, unity)를 긍정하고 알라와 동등하게 되는 것을 부인하는 것이다. 타우히드는 다음 두 가지를 포함한다.

(1) 알라는 한 분이고 샤리크(sharīk, co-partner)가 없다.
(2) 믿음(이만)을 갖고 그 믿음을 확인하는 것이다.

타으윌(ta'wīl): 이슬람력 4세기까지 언어학자들의 전문용어에서는 '돌아감'과 '능력'이란 의미로 사용됨, 이슬람력 7세기 사전 편찬가 이븐 만주르(711 AH)는 타으윌은 '돌아감, 해석, 감상'이란 뜻이라고 했고 또, 원래 의미를 그만두고 다른 의미를 찾는 것을 타으윌이라고 했다. 그래서 타으윌은 말의 자히르를 피하고 다른 의미로 해석하되 반드시 이 의미를 선호하는 증거가 있어야 한다는 조건을 갖는다. 자히르의 의미를 갖는 텍스트를 바뀐의 의미를 갖게 하는 것은 타으윌을 통해서다. 시아파의 일부 분파들이 타으윌을 사용했다. 수피 철학자들도 시아파가 자히르와 바띤으로 구분한 이 방법론의 영향을 받았다.

타즈디드(tajdīd): 법학에서 타즈디드는 내부로부터 그리고 표현 방식에 의한 진전이고 원래의 특징과 구별된 특질을 보존하는 것이고 현대의 문제와 새로 등장한 문제에 대한 이슬람적인 답변을 주는 것이다. 꾸란 해석에서 타즈디드는 옛 기초를 보존하고 새로운 문명사회에서 새로 발견한 것에서 유익을 얻고 현대 사회에서 사람들이 관심을 갖는 것에 대하여 꾸란의 개념을 더 잘 적용하는 것이다. 문학에서 타즈디드는 연극과 소설과 단편소설에 나타나는데 아랍적인 유산의 뿌리에다가 새로운 기법이 지배하는 현대 문학의 기초가 함께하는 것이다. 와하비 운동에서 타즈디드는 교리에서 알자브리야(al-Jabriyyah, 인간의 자유의지를 부정한 교파), 훌룰(Ḥulūl, 내려옴), 잇티하드('ittiḥād, 결합)의 개념들을 이슬람 사상과 이슬람 개념에서 청산하기를 요구하는 것이다. 샤리아에서 타즈디드는 타끌리드(taqlīd, 샤리아[sharī'ah]에서 증거를 묻지 않고 다른 사람의 의견을 따름) 개념을 골라내는 것이다. 사상적 및 종교적 개혁 운동인 살라피 운동에서 타즈디드는 이슬람으로 회귀함으로써 유럽의 제국주의에 저항하고 순나와 시아 사이를 결합시키고 종교와 과학 사이를 조정하게 하고 이즈티하드의 문을 열고 교육사업을 계몽시키고 이슬람의 단결을 요구하는 것이다. 이슬람 법학에서 타즈디드는 새로워지는 삶의 요구들에 직면하여 법적 문제들이 명확하지 않으면 법의 규정은 타즈디드와 변화가 가능하다. 이때 이즈티하드는 인간의 삶을 발전시키는 것을 돕는 법적 도구가 된다.

타즈위드(tajwīd): 모든 글자를 조음점에서 생성되게 하고 그 음가를 부여하고 조음 방식을 실현한다.

타프시르(tafsīr) : 설명, 해석(interpretation) 또는 주석(commentary)이란 뜻이다.

타흐리프(taḥrīf): 변질 또는 왜곡, 하디스학에서 타흐리프는 전문적인 의미로는 모음 부호가 변한 것이다.

틸라와(tilāwah): 알라의 면전이라고 생각하고 꾸란을 읽는 것, 꾸란 낭송자(qāri')는 압드(복종하는 자)이고 틸라와는 압드와 알라 간의 대화이므로 가장 나은 디크르이다. 낭송자는 내적 및 외적으로 깨끗한 자이어야 하고 깨끗한 장소에서 읽어야 하고 칫솔질을 하여 꾸란이 나오는 길에 해당하는 입안을 깨끗이 한다.

파싸하(faṣāḥah): '파싸하'는 낱말의 배열이 좋고 발음이 쉽고 의미가 분명한 것을 가리킨다. 모든 낱말이 형태적 규칙을 따르고 그 의미가 분명하고 이해가 되어야 한다.

파씨흐(faṣīḥ): 스피치를 잘하고 설명이 적절하고 낱말들이 모호함에서 벗어나 있는 것을 가리킨다.

푸쓰하(fuṣḥā): 꾸란과 문학의 아랍어, 어떠한 결점도 없는 언어

피끄흐(fiqh): (ㄱ) 피끄흐의 언어적 의미는 이해와 식별, 또는 법의 지식이란 뜻, (ㄴ) 법의 출처가 텍스트이건 이즈티하드이건 간에 이슬람에서 실제로 행해야 하는 법들, (ㄷ) 피끄흐는 행동과 연관된 법적 규정(아흐캄 샤르이)에 대한 지식을 가리킨다. 샤리아는 피끄흐보다 더 넓은 의미이다.

피라끄(Firaq): (순니 이슬람의) 분파, 피르까의 복수형, 언어적 의미에서 피라끄는 한 가지 견해에 동의한 사람들의 무리가 그 견해를 지지하고 전하고 방어하는 일을 한다. 전문적인 의미에서 이슬람의 피라끄는 정치적 분파(정파)와 교리적 분파(교파)로 나뉜다. 사실 이슬람에서 교리와 정치 사이를 구분하는 경계가 없으나 이슬람 분파들이 처음 나뉠 때 교리적 또는 정치적이었기 때문에 교리적 분파와 정치적 분파라고 한다. 순니 이슬람에서 볼 때 정치적인 분파로는 카와리즈파와 시아파가 있고 교리적인 분파로는 무으타질라파, 아쉬아리파, 마투리디야파, 무르지아파, 까다리야파, 자브리야파가 있다.

피트나(fitnah): 피트나는 알라로부터 또는 압드(복종하는 자)로부터 온 행동이다. 알라로부터 온 것은 지혜로운 것이고 압드로부터 온 것은 그 반대이다. 꾸란에는 피트나의 의미가 여럿인데 불로 고통받는 것, 굴욕, 살인, 배신 등의 뜻을 갖는다. 피트나는 현대 아랍어에서 충돌, 박해 등의 뜻을 갖는다.

하디스(ḥadīth): 무함마드의 말과 행동과 그가 암묵적으로 시인하고 동의한 것이다. 하디스는 이스나드와 마튼으로 되어 있다. 이스나드는 하디스 전달자를 추적해 가는 것이다. 마튼에는 하디스 내용이 누구에게 속하느냐에 따라 다음 4가지로 구분된다.

(ㄱ) 알꾸드시(al-qudsī): 무함마드가 알라에 대하여 전해준 것이다. 그것이 지브릴을 통하여 전달받은 것이거나 와히를 통해서 받은 것이다. 알꾸드시는 낱말은 무함마드의 것인데 그 의미는 알라에게서 온 것이다. 다시 말하면 알라에게서 전해 받은 것을 무함마드가 말했다는 것이다.

(ㄴ) 마르푸으(marfū'): 무함마드의 말이나 행동이나 암묵적으로 시인하거나 무함마드의 타고난 특성(신체적 그리고 도덕적 특성)이다. 이때 낱말과 의미는 알라에게서 온 것이다. 또는 의미는 알라에게서 온 것이고 낱말은 무함마드에게서 온 것이다.

(ㄷ) 마우꾸프(mawqūf): 싸하바의 말이나 행동이고 학자들 사이에서는 이에 대한 주장이 다르다.

(ㄹ) 마끄뚜으(maqṭū'): 타비인에게 속하는 것으로서 타비인이 기록한 말이나 행동을 가리킨다.

하디스 다이프(ḥadīth ḍa'īf): 하디스가 가장 높은 용인 조건을 충족하면 싸히흐가 되고 하디스에서 가장 낮은 조건들을 충족하면 하산이라고 하고 하디스가 하나의 용인 조건이나 하나 이상의 조건들을 잃으면 다이프라고 한다.

하디스 싸히흐(ḥadīth ṣaḥīḥ): 싸히흐는 언어적인 의미로는 부족한 점이 없음, 모든 결함에서 벗어남이란 뜻이다. 하디스 싸히흐는 모든 전달자가 해당 하디스를 쉐이크에게서 듣고 이스나드에서 생략된 부분이 없이 무함마드까지 이르렀고 전달자는 비행과 결점이 없고 타끄와(다신 숭배와 알라의 명령에 불순종함과 전례가 아닌 것을 새로 들여오는 것과 같은 나쁜 행동을 피하는 것)를 지키는 성품을 가졌다.

하람(ḥarām): 금지된 행동, 이슬람에서 하람은 썩은 고기를 먹는 것, 영아 살해, 어머니들이나 의붓 어머니들과의 혼인, 거짓 증거, 다른 사람의 재산을 갈취함, 살인, 불법적인 성관계 등을 가리킨다. 금지된 행동은 둘로 나뉘는데 본래 금지되는 것과 외적 요인에 의하여 금지되는 것이 있다. 전자는 불법적인 성관계, 도둑질, 썩은 고기를 판매하는 것이고 후자는 처음에는 금지되지 않았으나 외적 요인 때문에 금지 행동으로 바뀐 것으로서 예를 들면 매매는 합법이지만 이자를 주거나 이자를 물게 하는 것은 금지 사항이다.

하와리윤(ḥawārīyyun): 이싸 븐 마르얌의 사람들 또는 이싸 븐 마르얌을 돕는 자이고 12명이다.

색인